L'AVANT-DERNIÈRE CHANCE

Caroline Vermalle

L'AVANT-DERNIÈRE CHANCE

roman

calmann-lévy

ISBN 978-2-7021-3999-8

À Christiane et André,
à la mémoire de Ninette et Marcel,
mes grands-parents.

Mardi 21 octobre

Londres

La vibration légère de son portable tira Adèle d'un profond ennui. Il était strictement interdit de laisser son téléphone allumé dans de telles circonstances, on l'avait assez répété. Cependant Adèle avait bien fait attention de le mettre sur le mode vibreur, et puis c'était le jour de son vingt-troisième anniversaire, et elle attendait anxieusement de voir lesquels de ses amis allaient s'en souvenir. Jusqu'à maintenant, leur nombre avait été décevant. De temps à autre, elle s'assurait que personne ne la regardait avant de vérifier sur l'écran qui dépassait à peine de la poche de son jean. Pour lire ce nouveau texto, elle devrait attendre le moment propice, et ce n'était pas maintenant, vu que dans la pièce d'à côté, l'inspecteur parlait de meurtre.

Elle était inconfortablement assise sur une caisse, dans le long couloir sombre qui donnait sur la chambre à coucher. Seuls filtraient quelques bruits venant de la rue, un scooter, un camion, un chien, une sirène lointaine. Elle jeta un œil à l'intérieur de la chambre éclairée par un faisceau de lumière qui faisait danser la poussière. Le lit en bois foncé joliment travaillé, à la française, les petites collines de satin rose du gros édredon, et le mort, vêtu d'un pyjama à la mode des années 40, sa mine grise et son air tragique d'homme assassiné. Car c'était un assassinat, l'inspecteur en était sûr, il l'avait répété quatre fois. L'insuline pour ses piqûres quotidiennes avait été remplacée par son liquide pour les yeux, les flacons étaient là pour le prouver. La victime, quatre-vingt-trois ans, laissait à sa famille une fortune colossale, ainsi que cette grande maison londonienne qui les abritait tous. Chaque fois que le policier employait le mot « crime », sa petite-fille s'effondrait, et son fiancé la relevait en essayant de la consoler. Mais c'était peine perdue. La jeune femme, agenouillée près du lit, la tête sur l'édredon, les mains dans celles du mort, bredouillait des mots entrecoupés de sanglots parfois ridiculement bruyants. Elle se répandait en lamentations, en souvenirs d'enfance, en regrets surtout ; la liste était longue, surtout que ça faisait quatre fois qu'elle la répétait. Une vieille dame très digne se tenait toute droite à côté du lit, baissant et remontant la tête au rythme des regrets que la jeune femme égrenait comme un chapelet ; c'était la grand-tante, la belle-sœur du mort. D'autres personnes se trouvaient derrière la porte, silencieuses. L'inspecteur le répétait : le tueur faisait partie de la famille. Ce n'était pas le moment de vérifier ses textos.

Adèle n'en était pas à sa première scène de meurtre. Ça l'ennuyait beaucoup, alors elle rêvassait en attendant que ça se passe. Juste avant que son téléphone ne vibre, elle était en train de se dire que la jeune femme qui pleurait dans la chambre lui ressemblait un peu. Même âge, même cheveux longs, bruns, épais, même taille fine. Mais la fille dans la chambre, sans être forcément plus jolie, était mieux habillée, mieux apprêtée, ses mains étaient douces et elle avait l'habitude d'être le point de mire. Adèle, en comparaison, malgré les traits harmonieux de son visage, faisait davantage garçon manqué. En outre elle n'était pas riche, et on ne faisait jamais très attention à elle. Même le jour de son anniversaire. Elle trouvait en revanche que le mort n'avait pas la classe d'Irving Ferns. Irving Ferns. Son cœur se serra à sa pensée.

Adèle bouillait d'impatience – qui lui avait envoyé ce texto ? Le jeune avocat rencontré lors d'une fête un mois plus tôt ? Mais comment aurait-il pu deviner que c'était son anniversaire ? Elle regarda autour d'elle. Il y avait du monde dans le couloir encombré, une trentaine de personnes peut-être, qui ne bougeaient pas, de peur de faire craquer le parquet ; quelques-uns se grattaient le nez, d'autres se rongeaient un ongle. On communiquait en mimant, car même les chuchotements étaient inappropriés. Mais personne ne semblait regarder Adèle. Elle vérifia encore une fois que les dictateurs du silence n'étaient pas dans le couloir – non, ils étaient occupés avec le mort –, sortit son portable et ouvrit le texto qu'on venait de lui envoyer.

Elle dut l'approcher de ses yeux pour être sûre qu'elle lisait correctement. Elle ne put s'empêcher de pousser un petit cri étouffé et lâcha l'appareil, qui alla s'écraser sur le parquet de la vieille maison avec un bruit assourdissant. Tout le monde sursauta et se tourna vers Adèle. Immédiatement, on entendit une voix en colère venir de la chambre.

« COUPEZ ! COUPEZ ! Mais qu'est-ce qui se passe là-dedans, nom de Dieu ? » Et le premier assistant-réalisateur fit irruption dans le couloir.

Adèle bredouilla : « Je suis vraiment désolée, John, je... »

Toute l'équipe de tournage se tourna vers Adèle, acteurs compris, puis on passa à autre chose. Ça arrivait souvent, et c'était une occasion pour tout le monde de se délasser deux minutes.

John cria à l'assemblée : « Allez, on se reconcentre, c'est la dernière scène. On a du champagne qui nous attend, les mecs ! Allez, un dernier effort. *One last push, chaps.* » Le réalisateur en profita pour murmurer quelques indications aux acteurs, le mort pour se gratter un œil et plaisanter avec la vieille tante, le directeur de la photographie pour régler les rayons de soleil, et on enchaîna sur la cinquième prise.

C'était le dernier jour de tournage. On filmait l'adaptation de *La Maison biscornue* d'Agatha Christie pour la télévision britannique. Le premier chapitre, la découverte du meurtre, avait déjà été filmé le premier jour, un mois plus tôt, mais on avait dû faire un « reshoot ». C'était la dernière scène à filmer et – tout le monde l'espérait – la dernière prise. Après on ferait la fête.

« Silence, silence, s'il vous plaît. Caméra. Action. » Adèle n'avait pas bougé de sa caisse. Elle tenait toujours son téléphone portable dans sa main crispée. Pour la première fois, elle accueillit le silence comme une bénédiction. En plus de l'embarras causé par la chute de son téléphone, elle était toujours sous le choc. Elle n'osait pas relire le texto. Enfin elle trouva le courage de détendre ses doigts et de baisser la tête.

Bn anivRsR adL – tn granpR ki tM
(Bon anniversaire Adèle –
ton grand-père qui t'aime)

Elle réussit à ne pas pleurer, mais ne put retenir le sourire qui éclaira son visage et réchauffa sa poitrine. Car ce petit texto tout bête et un peu maladroit, avec son orthographe qui se voulait jeune, était extraordinaire. Poétique même, et tellement tendre. Et bien sûr tout à fait impossible.

Il est des choses dans la vie qu'on a envie de garder pour soi. Et d'autres qu'on veut partager avec tout le monde et n'importe qui. Le texto appartenait à cette dernière catégorie. C'était comme ça, il fallait que l'histoire sorte, et Adèle était émue et impatiente.

On décida de faire une sixième prise. Mais Adèle ne suivait plus le tournage, elle repensait à son histoire. Oh, elle n'était pas si longue, mais il fallait tout raconter pour comprendre ce que ce petit texto avait d'extraordinaire. Oui, tout raconter depuis le début, un mois plus tôt, le 18 septembre. Un mois, ce n'était pas long, et pourtant, des cœurs s'étaient ouverts, des valises s'étaient fermées, des larmes avaient coulé là où on ne les attendait plus. Et alors que pour la sixième fois un drame se jouait dans l'autre pièce, Adèle profita de ces ultimes moments de silence pour se souvenir.

Dans la pénombre de ce couloir, elle pouvait se projeter le film de ce dernier mois, qui avait changé sa vie, un peu, mais celle d'autres, beaucoup.

Jeudi 18 septembre

Chanteloup (Deux-Sèvres)

Après une dizaine de sonneries, on décrocha enfin.

« Allô ? fit une voix un peu tremblante.

– Allô, papy, c'est Adèle.

– Allô ? répéta le vieil homme.

– Papy ?

– Oui ?

– C'est Adèle !

– Ah oui, ma belle, ça va ?

– Oui et toi ?

– Oui, moi, oh tu sais…, dit-il avec une lassitude mille fois répétée. Et pourquoi que tu appelles ?

– Eh bien… maman t'a expliqué, elle est partie en voyage, tu sais bien ?

– Oui, au Pérou, elle me l'a dit.

– Bon, eh ben je voulais que tu saches que tu peux m'appeler, si tu as un problème, je peux venir te voir.

– Oui, bon.

– Pendant qu'elle est en voyage, je veux dire, tu peux m'appeler, insista Adèle, peu impressionnée par ce manque d'enthousiasme.

– Oui, bon, c'est bien, répondit poliment son grand-père.

– Tu as mon numéro, papy ?

– Oui, ta mère me l'a donné. Mais Adèle, tu es toujours à Londres, ma fille ?

– Oui, mais t'inquiète pas, c'est pas si loin, je prends le train, ça met pas bien longtemps, mentit Adèle.

– Ah oui, tu vas à la gare de Poitiers et ensuite il y a un bus.

– C'est ça, répondit Adèle, qui n'en avait aucune idée car cela faisait presque dix ans qu'elle n'était pas venue le voir.

– Et combien de temps que ça met en tout ?

– Oh je sais pas, la demi-journée, peut-être un peu plus », hasarda Adèle. Elle soupçonnait cependant qu'il faudrait bien plus que cela, son grand-père vivait dans un hameau près de Chanteloup, un minuscule village perdu au milieu du bocage, dans les Deux-Sèvres.

« Ah oui. Enfin y a pas besoin. Bon, ben allez, je t'embrasse, au revoir.

– Attends, papy, tu as toujours le téléphone portable que maman t'a donné ?

– Oh, tu sais… les téléphones portables… », fit son grand-père, pour qui la pointe de la technologie touchait aux plus hautes sphères de l'absurdité ; mais heureusement pour Adèle, il tolérait les conversations téléphoniques uniquement si elles étaient très courtes et si on s'en tenait à l'essentiel. Et la tirade sur le progrès ne faisait pas, aujourd'hui au moins, partie de l'essentiel.

« Mais tu l'as toujours, dis ? insista Adèle.

– Oui, oh…

– Bon, eh bien tu le gardes avec toi et tu m'appelles quand y a besoin.

– Oui, oh y a pas besoin. Allez, au revoir ma petite Adèle. » Et il raccrocha.

Non, bien sûr, il n'y avait pas besoin. Le cœur malmené par un infarctus en 1995, une pile dans le thorax, un genou qui menaçait de lâcher, les poumons grillés par quarante ans de Gitanes… Pourtant, il faisait son petit bout de chemin, mangeait comme quatre, cultivait son jardin, sifflotait en faisant sa vaisselle, et avait assez de pêche pour invectiver avec force jurons ses médecins qui ne lui donnaient régulièrement que quelques mois à vivre, et cela depuis bientôt quinze ans. Enfin, c'était ce que Françoise, la mère d'Adèle, rapportait, vu qu'Adèle n'avait plus que des contacts très sporadiques avec lui. Sans remords, car il n'avait de cesse de répéter, avec sa finesse et sa retenue légendaires, qu'il ne voulait pas « se faire emmerder ».

Adèle remit son téléphone portable dans la poche de son treillis militaire. 19 h 23. Elle attendait depuis au moins un quart d'heure, debout, au milieu de la rue. Le soir était encore tiède en ce jour de septembre, et le quartier de Brick Lane, à l'est de Londres, résonnait des rires alcoolisés provenant des abords bondés du Swan Pub. Adèle n'avait jamais aimé ce quartier – même si ses amis lui avaient assuré que c'était le dernier endroit à la mode. Lors de rares journées ensoleillées, elle appréciait ses couleurs et goûtait parfois les trésors de ses boutiques bigarrées. Mais les jours mornes, tout ici agressait ses sens : les odeurs de curry, les ordures, les braillements des serveurs devant les restaurants indiens, les façades sombres et sales. Elle devrait pourtant y passer de longues, longues journées et quelques nuits pendant plus d'un mois. Car c'était là que se trouvait, dans une rue dont la plaque était traduite en sanskrit, l'unique lieu du tournage : une grande maison de trois étages, en pierre du même gris que le ciel anglais. On l'aurait à peine remarquée au milieu des vieux entrepôts, dans cette petite rue sombre qui souvent accueillait des junkies et quelques filles ivres. Adèle se tenait devant l'entrée de la maison. À l'intérieur, on s'affairait déjà. Elle soupira, regarda à nouveau sa montre. 19 h 27. La journée de travail commençait, et elle commençait mal.

Elle tira sa feuille de service d'une autre poche de son treillis et la relut pour la troisième fois : l'acteur principal était attendu au maquillage à 19 h 30. En face de son nom figurait le sien : Adèle Montsouris. C'était drôle de voir ces deux noms côte à côte, car eux étaient chacun à un bout de la chaîne alimentaire qu'était l'industrie de la télévision : lui, la star des films historiques de la BBC, payé quelques millions ; et elle, tout en bas, vingt-deux ans, stagiaire à la réalisation, bien entendu bénévole, « pour l'expérience ». Apporter le thé et le café, appeler des taxis, servir de baby-sitter aux acteurs de tous âges, arriver la première sur le plateau et en partir la dernière : voilà toute l'expérience qu'Adèle accumulait depuis trois films, et pour des prunes. L'indication de son nom à côté de celui de l'acteur principal signifiait que s'il était en retard, les premier, deuxième, deuxième-deuxième et troisième assistants à la réalisation auraient le loisir de lui en attribuer la responsabilité – et on criait beaucoup sur les tournages. Il fallait donc qu'elle crie elle aussi sur le chauffeur de taxi, trouve un plan B, avertisse la maquilleuse, et cætera. Le troisième jour de tournage était à peine entamé et déjà Adèle sentait tous les muscles de son corps se contracter en prévision de cette nouvelle catastrophe imminente. Comme les deux jours précédents avaient déjà été particulièrement difficiles, Adèle oublia vite le grand-père lointain avec qui elle venait de parler.

Lui en revanche ne l'oublia pas. Son appel venait de tout, mais alors *tout* chambouler.

❖

Georges Nicoleau resta un long moment près du téléphone dans le couloir, perplexe.

« Zut, dit-il tout haut. Ah… zut et zut et zut et zut et zut. Zut zut zut. »

Non pas qu'il n'ait pas apprécié qu'Adèle lui passe ce petit coup de fil – oui, quelque part cela lui avait mis du baume au cœur, qu'il avait plutôt fainéant ce soir. Sa petite-fille n'était pas venue le voir depuis le divorce de ses parents, donc ça allait faire, voyons voir, presque dix ans. Elle lui avait envoyé les traditionnelles cartes de bonne année, puis quelques cartes postales à ses débuts à Londres. D'ailleurs elles étaient là, punaisées sur la tapisserie fanée, à côté du calendrier 2008 des pompiers, au-dessus de la table du téléphone. Ça lui avait fait plaisir de les recevoir, et ça avait fait plaisir à Arlette aussi. Arlette… Elle avait bien aimé celle-ci, là, celle avec la photo de Big Ben en noir et blanc. Elle l'avait trouvée artistique. Enfin. Londres avait dû rapidement perdre l'attrait de la nouveauté, car les cartes postales n'étaient plus arrivées, et les coups de fil étaient rares. Celui de ce soir avait beau lui faire plaisir dans l'absolu, il lui posait néanmoins un sacré gros problème.

Tous ses plans et ceux de Charles allaient capoter. Il fallait en discuter avec son complice le soir même. Cela tombait bien, on n'était ni mercredi ni samedi, donc en toute probabilité, il allait passer pour la tisane à l'heure de la météo.

Georges retourna dans le salon à pas mesurés, suivant un parcours familier. Sa grande silhouette, un peu cassée, certes, passait tout juste sous les poutres de la petite maison. Ces poutres l'avaient embêté depuis qu'il avait seize ans, mais c'était somme toute un avantage d'être vieux, maintenant il ne se cognait plus la tête. La vieillesse lui était tombée dessus un peu par surprise, car il se sentait jeune au fond, et physiquement, pour un pépé de quatre-vingt-trois ans, il ne se trouvait pas trop décrépit, les rares fois où il considérait la question. Tout d'abord, il avait toujours tout un tas de cheveux qui dépassaient de la casquette. Ce n'était pas la tignasse d'antan, mais enfin il se défendait plutôt bien. Et puis il portait des jeans et des Reebok – pour le confort bien sûr, pas pour la mode, qu'il méprisait avec énergie. Et surtout, question mémoire, non seulement il était imbattable face à tous les autres vieux du club du troisième âge, mais il pouvait se comparer à n'importe quel jeunot. Le cœur, oui, était un peu fragile depuis l'opération. Mais c'était comme le genou, la vessie et le dos, il fallait juste suivre le mode d'emploi, avoir les bonnes ordonnances, et puis on faisait aller.

Georges se laissa tomber dans son vieux fauteuil, un fauteuil de jardin en plastique avec des housses partout. Non pas qu'il lui manquât le sou pour s'acheter un vrai salon : l'argent n'était pas un problème pour M. Nicoleau, il en avait bien plus qu'il n'en aurait jamais besoin. Ce n'était pas la boucherie qu'il avait tenue pendant quarante ans qui avait constitué sa fortune, même si elle y avait participé, car elle avait plutôt bien marché, cette petite boucherie. Georges Nicoleau avait toujours investi dans la pierre et la terre, vendu et acheté à des moments pas moins bons que d'autres et surtout, il vivait frugalement et économisait beaucoup. Des sous, il en avait un paquet. Mais il n'avait jamais trouvé de fauteuil aussi confortable.

Il se mit donc à réfléchir au problème et, pour mieux organiser ses pensées, saisit la télécommande posée sur le *TéléStar* et alluma la télé. Il avait manqué les infos sérieuses de 20 heures, il en était aux plus légères de 20 h 30 – il les préférait somme toute aux gros titres, qui parlaient d'un monde qu'il ne reconnaissait plus. Il se remit à penser à Adèle. Il regarda sa valise posée près de la porte du séjour. Leur départ était prévu dans exactement une semaine. Son maigre bagage était prêt depuis l'avant-veille. Il avait acheté cette valise – il s'en rappelait maintenant – à Biarritz en 1985. Tiens, justement, l'année de la naissance d'Adèle. Il avait hésité à en acheter une pour l'occasion, une moderne avec des roulettes, plus pratique certes, mais il ne comptait pas marcher beaucoup avec, et c'était un peu du gâchis, celle-ci était toute neuve. Et puis peut-être aussi que comme il n'emmenait aucun souvenir avec lui, elle serait elle-même comme un bout de souvenir.

Le jingle de la météo le tira de ses rêveries. Au même moment, les pas familiers de Charles se firent entendre dans le garage. La maison de Georges avait une jolie porte d'entrée entourée de fleurs et de petits cailloux et même d'un nain de jardin. Mais depuis trente ans que Charles était son voisin, il passait *toujours* par le garage encombré, ondulant de sa hanche en vrac entre les cartons, les râteaux, les seaux et tout le fourbi qui faisait tenir les murs et une partie du plafond. C'était comme ça.

Charles entra, les yeux rivés sur la télé, et dans le même geste répété depuis trente ans, tendit la main à Georges. Georges la lui serra sans quitter l'écran des yeux. Une présentatrice agitait les bras devant une carte de France constellée de gros soleils.

« Eh ben ! C'est pas encore demain qu'on va avoir de l'eau ! s'exclama Charles, qui avait cessé toute activité agricole depuis bien des années (si on exceptait quelques poules dans la cour et le poney de son arrière-petite-fille dans la vieille écurie), mais qui avait gardé la saine habitude de redouter la sécheresse.

– Enfin, y a du beau temps sur tout le parcours. Et pas trop chaud encore, ma foi.

– Ah oui. Sauf à Pau, là, ça a l'air de cogner. M'enfin, ça a le temps de changer, et on n'y est pas encore. »

Charles se dirigea vers le vieux vaisselier pour prendre leurs tasses.

« Ah, saloperie », dit-il en portant la main à sa hanche. Elle le tracassait bien, cette hanche, et pourtant, se dit Georges, il était jeune, à peine soixante-seize ans. Il était petit, trapu, la tête ronde et chauve, avec des joues rouges de paysan et des grosses mains qui en avaient vu d'autres. Il avait des lunettes à la mode des années 60 et un air d'honnête homme sur qui on peut compter. Et ce n'était pas juste un air qu'il se donnait : on pouvait compter sur Charles Lepensier.

Georges hésitait à lui parler d'Adèle. Finalement il se lança :

« On n'y est pas encore, tu l'as dit, Charles. Je sais même pas si on y sera un jour. Voilà. Y a un problème. Tu sais, ma petite-fille, Adèle, de Londres, là-bas. Elle a appelé ce soir. »

Bien sûr que Charles savait qui c'était : Georges n'avait qu'une petite-fille et aucun petit-fils, on ne risquait pas de se tromper. En revanche, lui, avec sa smala si nombreuse qu'il s'emmêlait dans les prénoms, et cette manie de faire des enfants tous jeunots, il avait dix-huit petits-enfants et quatre arrière-petits, et c'était pas fini, si le Bon Dieu le voulait bien.

« Tiens donc. Ça va pas à Londres ? demanda Charles, anxieux.

– Oh, si, si, ça va. C'est pas là le problème... Elle *s'inquiète,* articula Georges.

– Comment ça, elle s'inquiète... de toi ? Juste aujourd'hui ? Quelle mouche la pique ?

– Oui, ça m'a un peu surpris au début. Mais ce que je me figure, c'est que *sa mère* s'inquiète. Alors, du coup, elle a dû charger la fille de, comme qui dirait, veiller sur moi.

– Ah zut. Y a pas à dire, elles choisissent vraiment leur moment, tes bonnes femmes !

– Comme tu dis.

– Elle va pas venir ici, quand même ?

– Oh non, ça serait pas son genre. Et même si l'envie lui en prenait, j'ai bien calculé, il lui faut au moins treize heures pour venir de chez elle. Non, non, ce qui me tracasse, c'est qu'elle va appeler, ça fait pas un pli. Je dirais, pas tous les quatre matins, mais ça m'étonnerait pas que sa mère lui ait demandé de m'appeler une fois par semaine, tu vois. Tu penses bien que si je ne décroche pas une fois, deux fois, il y aura un de ses tintouins, et Françoise va se rabouler vite fait de ses montagnes péruviennes. Comme je vais pas être là pendant presque deux mois, tu te fais une idée du bordel que ça va faire.

– On aurait dû s'en douter, râla Charles en essayant de contenir sa colère. C'était déjà trop beau que ta fille aille au bout du monde, là, pendant deux mois, sans t'appeler ni rien. Moi j'y ai à peine cru, pour tout te dire. Bon, c'est vrai que le coup de la petite-fille, on n'y avait pas pensé. »

Ils avaient maintes fois parlé de sa fille unique, Françoise. Elle qui, depuis son divorce et la mort de sa mère six ans auparavant, ne lâchait pas son père d'une semelle, qui le croyait, à tort ou à raison, gravement malade, qui insistait pour le traiter comme un enfant, elle avait eu l'envie soudaine de s'envoler pour les Andes, pour participer à une expédition d'endurance dans des montagnes reculées. Ce qui en soi n'étonnait personne car elle accumulait marathons, treks et autres zouaveries de riches. Mais chaque fois, peu importait le décalage horaire, elle était pendue à son téléphone, tous les soirs ou presque, pour appeler son père. Cette fois, elle avait parlé d'un silence radio total pendant deux mois. C'était inespéré. Georges et Charles avaient sauté sur l'occasion. C'était le moment ou jamais de réaliser ce vieux projet. Et à une semaine de leur grand départ, voilà où on en était.

Georges sentit le découragement venir vite, très vite, comme une marée montante. Si même Charles perdait la foi dans leur projet, ils étaient cuits. Le clac de la bouilloire fit se redresser Charles, qui servit la tisane en silence. Sans lever les yeux de sa tasse, il finit par dire :

« Je sais qu'on en a déjà parlé, mais enfin, Georges… t'es sûr que tu veux pas le dire à ta fille et à ta petite-fille ?

– Non, alors là non, on va pas revenir là-dessus, bon sang de bonsoir ! Si Françoise l'apprend… Enfin, tu l'as bien vue, Charles. Elle va me faire mettre dans une maison de vieux illico, avec des piquouzes tous les quarts d'heure et une escorte chaque fois que je vais pisser, c'est du tout cuit. Elle me ferait mettre dans le formol si elle le pouvait. À l'heure qu'il est, elle doit déjà être en train de grimper les Andes et elle m'a *certifié*, tu m'entends, *cer-ti-fié*, elle m'a même assommé avec ça t'as qu'à voir, qu'elle ne pourrait pas m'appeler *du tout* pendant deux mois… Donc bon, ça, c'est réglé et c'est tant mieux. Maintenant, Adèle, maline comme elle est… il faut pas se leurrer, elle va trouver un moyen, avec un, un, un coup d'internet là, et paf, en deux secondes je vais me retrouver avec une escadrille d'infirmières sur le paletot. Non, je ne veux pas que Françoise le sache, par moi, par toi, par Adèle – c'est comme ça. Passe la tisane. »

Il leva la tasse à ses lèvres et la reposa, avant de reprendre, sur le même ton :

« Alors toi… pour toi, je veux dire, c'est simple : ta femme, ça la dérange pas. Elle t'y pousse, même, à te barrer deux mois. Tu sais que franchement, la Thérèse, elle m'épate sur ce coup-là. Ah ! on passe tout aux jeunes, hein, Charles ? »

Charles sourit, mais il avait l'air bien abattu. Les deux hommes burent leur tisane en silence ; le tic-tac de la pendule en devint presque assourdissant. Georges prit enfin la parole :

« Eh ben, montre… »

Timidement, comme un enfant qu'on vient de gronder, Charles prit son cartable en cuir, en sortit des imprimés et des guides de voyage et les étala sur la toile cirée.

« Qu'est-ce que t'as là ? demanda Georges. Ah ah, Sauveterre-de-Cominges-Lannemezan-Foix, étape 11, c'est une bonne, celle-là. »

C'étaient bien sûr les meilleurs moments et ce qui donnait un goût d'aventure à leur tisane. Penchés sur leurs guides touristiques, les doigts filant sur l'atlas tout corné, au milieu des réservations d'hôtel et des brochures en couleurs, ils répétaient leur périple et rajeunissaient de trente ans. Dans sept jours, ils devaient entamer le Tour de France.

Vendredi 19 septembre

Chanteloup (Deux-Sèvres)

« Le Tour de France ? s'écria le jeune facteur éberlué.

– Eh oui, répondit Georges avec fierté.

– Bé mazette… Mais, euh, qu'est-ce que je veux dire… avec votre genou qui boite, là, ça va pas être un peu, comment je veux dire, un peu ardu ?

– Pensez-vous, on va à peine poser le pied !

– Bé je pense bien, c'est ça qui m'inquiète ! Trois mille cinq cents kilomètres à vélo, il faut se les farcir !

– Ah nooooon… On le fait en voiture…, fit Georges, déçu de devoir corriger ce délicieux malentendu aussi rapidement.

– Aaaaaah… Vous m'avez fait peur, là ! dit le facteur en riant. Ah bé oui. Ah vous m'avez fait peur. Moi je croyais…

– Enfin, ça fait quand même long. Vingt et une étapes, quarante-neuf villages. Pas loin de deux mois en tout.

– Oui, enfin, c'est pas comme à vélo. »
L'intérêt du jeune facteur était déjà presque dissipé, et il allait parler d'autre chose quand Georges reprit :

« Oui, cela dit, je vais vous dire, c'est quand même une sacrée organisation. Là, par exemple, ça fait des mois qu'on y travaille avec Charles. Il va sur internet et tout.

– Ah oui, répondit le facteur poliment. Bon, sinon, vous me direz, là, pour le courrier. »

Ce n'était plus la peine d'insister. Ce n'était pas la première fois que ça arrivait. Il aurait pu préciser qu'ils iraient dans des coins perdus, dangereux même, ou carrément étrangers (l'Italie !). Il s'était même surpris à regretter de ne pas essayer de le faire à vélo, juste pour voir la tête des gens... Ça lui plombait le moral chaque fois qu'on pense que son grand projet ne valait pas tripette. C'étaient pourtant trois mille cinq cents bornes en bagnole, mince.

Georges soupira et sortit son vieux calepin orange.

« Oui, donc, pour le courrier, eh bien vous le donnerez à Thérèse... du 25, donc là jeudi qui vient, à... attendez voir... au 24 novembre. C'est un lundi. Si jamais on prend plus de temps, Thérèse vous le dira, hein. Enfin, vous verrez.

– Bon, c'est noté. Et pour les colis aussi ? Tiens, d'ailleurs, y en a un qu'est arrivé ce tantôt, là, pour vous. Voilà. » Il lui tendit un petit paquet de la taille d'une boîte à chaussures, avec un emballage en papier kraft visiblement fait maison. Georges l'attendait depuis un petit moment ; ça n'avait pas été simple de se le procurer.

Il rentra chez lui et posa son paquet, sans l'ouvrir, dans sa valise. Il avait justement fait de la place pour lui. C'est au moment de refermer sa petite valise un peu pathétique que, soudain, toute l'absurdité du projet le frappa en plein dans l'âme. Son absurdité, son improbabilité et son inutilité. Il regagna son fauteuil, cala ses coussins dans son dos, prit la télécommande sur le *TéléStar* et alluma la télé. Comme tous les midis, depuis tant d'années. C'était pourtant tellement simple de faire comme d'habitude. Et voilà qu'il s'apprêtait à s'embarquer dans ce Tour de France. Quelle folie.

Pourquoi avait-il accepté de suivre Charles ? Pourquoi, lui qui était si peu sorti du bocage, même au temps où sa carcasse était robuste, pourquoi avait-il soudain eu, à quatre-vingt-trois ans, des velléités d'aventure ? Sa dernière chance, qu'ils devaient tous se dire. Allez, pépé, vous reprendrez bien un petit peu de gloriole, hein, pour le moral, pour faire croire qu'on est encore invincible, qu'on va de l'avant. « Un rêve de gamin qu'on réalise à cet âge-là, c'est-y pas beau ? » qu'ils diraient. Oh, soyons honnête, ça le titillait bien quand même, on avait sa petite fierté. Mais tout ça, c'était plutôt pour Charles, qui était encore jeune et en pleine santé ou presque, avec une grande et belle famille par-dessus le marché. Mais pour Georges, c'était bien différent. Ils avaient raison, c'était bien la dernière, de chance. C'était la dernière chance de quitter la scène avec un grand coup de chapeau. Il n'avait même pas besoin d'être grand, le coup de chapeau. Juste digne. Et le bonhomme, juste debout.

Son corps raccommodé se tenait encore, avec un peu de mal, certes, mais il tenait. Mais l'homme à l'intérieur, il n'était plus debout depuis bien longtemps. Il attendait, presque vaincu d'avance, que les pronostics se réalisent, que les statistiques soient démontrées, que les probabilités le frappent. Mais rien ne venait, alors il avait décidé de partir à la rencontre des probabilités. Quatre-vingt-trois ans, un corps malmené de tous les côtés, trois mille cinq cents kilomètres et deux mois d'expédition. Le calcul était tellement vite fait que ça l'avait même étonné que Charles insiste pour qu'il parte avec lui. Il devait la faire, cette grande boucle, avant que les escadrons d'aides médicales débarquent, avec leur artillerie d'humiliations bien intentionnées, et qu'elles lui prennent tout, jusqu'au dernier geste.

Mais voilà. Tout ça, c'est ce qu'il s'était dit avant, quand il avait du courage. Dans des moments de fol entrain, de bravoure et de détermination débridées. Mais depuis quelques minutes, tout foutait le camp. Le courage, la détermination, la bravoure, ils le désertaient tous. Seules restaient ses voix. Saloperies de voix.

Non, il ne perdait pas la boule. Les voix étaient du genre domestique, tout ce qu'il y a de plus normal. Mais cet après-midi, elles tenaient leur homme. C'étaient les voix de son fauteuil de jardin, des housses et de la météo, les voix de la tisane et de ses pieds de tomates, les voix de tous ses objets familiers et celles de la maison. Elles lui chantaient la douceur du quotidien, entonnant le refrain familier – qui ne l'a jamais entendu ? – de l'absurdité du changement. Les voix lui disaient que ça serait plus facile de laisser venir le destin, de le laisser vous bercer, doucement, tout doucement. De laisser couler les jours, jusqu'à ce qu'il n'y en ait plus. Les voix lui soufflaient même une excuse toute prête : ce coup de fil imprévu.

Plus Georges pensait à ce projet et plus il le trouvait profondément, douloureusement ridicule. Il ne s'agissait pas de témérité mais d'idiotie, pas de sagesse mais de délire. Il regarda sa valise avec tristesse. On n'était ni mercredi ni samedi, donc Charles passerait, et il lui expliquerait. D'ailleurs son genou était beaucoup plus douloureux, maintenant qu'il y repensait. Et ça, les douleurs, Charles pouvait comprendre, avec sa hanche.

Ce fut avec un soulagement teinté de peine qu'il se plongea dans le JT de 13 heures et que, évitant de regarder en direction du poêle où sa valise prenait racine, il commença à somnoler. Il avait capitulé.

Charles, lui, de l'autre côté du jardin, n'avait pas capitulé. Quitte à tirer son ami par la peau des fesses, il allait le faire, ce Tour de France.

« Le Tour de France ? En rolossénique ? » Les yeux du petit Lucas, ronds comme des billes, fixaient son arrière-grand-père avec admiration.

« Mémé, c'est quoi une rolossénique ?

– Une Renault Scénic, Lucas. C'est une voiture, répondit Thérèse tranquillement.

– Oui, mais une voiture avec plein de gadgets dedans, tint à préciser Charles.

– Ça a quoi comme gadgets dedans, pépé ? » Charles regrettait déjà de s'être engagé sur cette voie pour le moins savonneuse : une discussion sur les gadgets avec un expert de sept ans était perdue d'avance.

« Plein d'*options*, tu vois. » Bon, il ne s'en tirait pas trop mal.

« Et ça met combien d'heures ?

– Ah non, Lucas, on le fait en plusieurs semaines, le Tour de France.

– Ah bon. Vous allez vous arrêter beaucoup, alors.

– Oui, on va s'arrêter beaucoup. C'est ça », répondit Charles, déçu.

Ils étaient dans la cuisine, Charles et Thérèse, leur petite-fille Annie et son mari Franck, et leurs deux enfants, Lucas et Justine, sept mois. Ça sentait le poireau et le Monsieur Propre dans cette petite cuisine dont le papier peint avait été à la mode, un jour, il y a longtemps. Il y avait au milieu de la table en Formica un petit vase avec des dahlias du jardin. Il y avait des photos des petits-enfants punaisées sur les murs, et il y avait les guirlandes de Noël de l'année dernière toujours accrochées à la vieille pendule. On se sentait bien dans cette cuisine, surtout Thérèse, dont c'était le royaume. Thérèse était petite et ronde comme les mamies de la télé. Elle n'avait pas de cou, des chemisiers bien repassés et des petits pieds, une barrette marron dans ses cheveux gris coupés au carré et une volonté de fer. Charles et Thérèse étaient mariés depuis cinquante-neuf ans, ils étaient heureux et le savaient. Les époques avaient été plus ou moins clémentes, mais chez les Lepensier, on avait appris à positiver bien avant que le concept devienne à la mode. Trouver des solutions aux problèmes des hommes était le domaine d'expertise de Thérèse, et les femmes de la famille avaient toutes hérité de ce talent.

Charles avait une fois encore grand besoin des lumières de sa femme. Impossible d'abandonner leur projet maintenant, Thérèse et lui y avaient mis trop de cœur et trop d'espoir. Et il ne pouvait pas le faire tout seul, d'une part parce que Georges finançait la totalité de l'expédition, y compris la Scénic toute neuve, et d'autre part parce que... il ne pouvait pas le faire tout seul.

« Tu sais, Thérèse, c'est pas encore fait, cette histoire de Tour. Et dire qu'on est dessus depuis des lustres... Maintenant il y a un problème avec Georges. Sa petite-fille. »

Thérèse, qui mettait la table pour le déjeuner, suspendit son geste et interrogea Charles, anxieuse.

« Comment ça, sa petite-fille ? Celle qui est à Londres et qui appelle jamais ?

– C'est ça. Sauf que maintenant, elle appelle. Ça doit être Françoise qui lui a demandé, enfin je ne sais pas ce qui se trame entre la mère et la fille, en tout cas, Adèle a appelé, résultat Georges s'affole. »

Thérèse regardait fixement la nappe. Charles continua :

« Pourtant, j'aime mieux te dire que le Georges, c'est pas le genre à avoir les jetons devant qui que ce soit. Mais sa fille, ah sa fille… il dit qu'elle va l'interner si elle découvre son petit manège. »

Annie, avec son bébé sur les genoux, demanda à son grand-père :

« Tu y crois, toi, que Françoise va l'interner ?

– Ouh là, la Françoise, elle est pas commode.

– Bé pardi… Je sais bien, elle tient ça de son père ! interrompit Frank, qui se souvenait encore d'une rencontre avec Georges un jour de gros temps.

– Mais enfin ! réagit vivement Thérèse. *Ar-rê-tez* de vous tracasser avec cette histoire de Françoise, elle a dit qu'elle n'allait pas appeler pendant deux mois, donc profitez-en, partez faire votre Tour, tranquillement, et voilà.

– Non, mais moi, qu'est-ce que tu veux, je trouve ça louche, ce, ce, ce… silence radio, là. Toi, elle t'a rien dit ?

– Non, non, enfin, je veux dire… pas plus qu'à toi, j'imagine », répondit Thérèse en détournant les yeux.

Annie essayait d'occuper Justine, qui voulait attraper les couteaux sur la table. Pour la faire tenir tranquille, elle lui donna son téléphone portable, que la petite fille porta immédiatement à sa bouche.

« Et si jamais elle se manifestait, elle m'appellerait aussitôt, et moi je m'en chargerais, de la Françoise. Donc arrêtez d'être obsédés par la fille, ou la petite-fille d'ailleurs, et hop ! En selle ! reprit Thérèse.

– N'empêche, fit Charles, il faut trouver un truc pour Adèle, parce que le Georges, il va se bloquer… Bon allez, à table, tout le monde. »

Tout à coup, le portable que tripotait Justine de ses petites mains potelées se mit à émettre des sons inattendus. Annie le récupéra non sans mal et vérifia l'écran.

« Mais qu'est-ce qu'elle nous a fait, elle ? Oh non, qu'est-ce que c'est que ça, “dévier les appels, appels vocaux”, oh lala, elle a tout déprogrammé le machin, ça marche plus. Frank ! Justine a tout bidouillé le portable. Ça dit “dévier les appels” je sais pas… »

Frank prit le portable d'une main lasse, essuya la bave du revers de sa manche, appuya sur quelques touches et remit le portable dans sa poche de jean.

Charles regarda Frank, puis son assiette, puis à nouveau Frank, et finalement lui demanda :

« Ça fait quoi le truc du portable, là, “dévier les appels” ?

– Ben, si je dévie les appels sur votre fixe, là, eh bien, quand les gens m'appellent sur mon portable, ils tombent sur votre fixe.

– Sans le savoir ?

– Sans le savoir.

– Et tu peux faire ça avec les fixes aussi ?

– Ah oui, normalement, oui.

– Nom d'un chien. »

Il se leva de table à grand bruit. Thérèse soupira.

« Charles, mon veau va être froid, à force.

– Thérèse, qu'est-ce que t'as fait de l'annuaire des télécoms ? »

Charles était tout agité. Une demi-heure et une conversation avec Frank plus tard, il se ruait chez Georges.

Justine souriait de toutes ses deux dents.

Georges fut tiré de sa somnolence par les pas de Charles qui résonnaient dans le garage, mais qui ne résonnaient pas de la même façon que d'habitude. Il avait dormi tant que ça ? La pendule à côté du frigidaire indiquait 13 h 30.

Charles fit irruption dans la pièce et s'écria, sûr de lui :

« Georges, y a pas à s'en faire. Y a une solution pour Adèle.

– V'là ti pas…, commença Georges.

– C'est quoi ton numéro de portable ? »

Georges dut se lever péniblement de son fauteuil de jardin et aller jusqu'à la table du téléphone, dans le couloir. « C'est là », fit-il à Charles en tapant du doigt sur le bristol punaisé à côté des cartes postales de Londres, où était inscrit, de la belle écriture de Françoise : « Ton portable : 06 20 15 89 15. »

Charles sortit de sa poche un papier couvert de codes, décrocha le téléphone fixe, et après avoir composé avec une grande concentration tout un tas de numéros, de dièses et d'étoiles, le raccrocha avec grand soin et un air presque solennel.

« Bon, dit Charles, qui avait l'air d'attendre quelque chose.

– Bon, dit Georges, qui se demandait si l'explication allait venir toute seule, ou s'il fallait qu'il aille la chercher. Euh, qu'est-ce que je veux dire là, euh…

– Où est ton portable ?

– Je crois bien qu'il est dans le tiroir de la commode du séjour, sous le tapis de cartes.

– Alors, écoute, dit Charles qui avait l'air à présent d'avoir les choses bien en main. Tu vas le chercher. Je vais retourner à la maison et je vais t'appeler, et on va bien voir lequel des deux téléphones va sonner.

– Mais tu vas m'appeler à quel numéro ?

– Le numéro du fixe.

– Donc c'est le fixe qui va sonner.

– Bé non, répondit Charles. Normalement, c'est le portable qui devrait sonner. »

Georges le regarda fixement, presque triste.

« Ah oui », répondit-il doucement, partant du principe qu'il valait mieux se taire plutôt que d'affoler tout le monde. N'empêche que c'était bien dommage que Charles commence à perdre la boule. Si jeune.

Charles s'éclipsa, flatté du manque de connaissances de son compère en matière de télécommunications, qui automatiquement gonflait les siennes. Il revint à peine cinq minutes plus tard, pour retrouver Georges assis dans son fauteuil.

« Alors ? Lequel a sonné ?

– Ah, rien n'a sonné. »

Charles était perplexe. « Tu ne te serais pas endormi ?

– Ah non, mon vieux. J'étais bien réveillé, et rien n'a sonné. Mais tu as appelé quel numéro ?

– 05 49 57 68 34.

– Eh bien oui, dit Georges, c'est le fixe. Qu'est-ce que t'es allé trifouiller dessus aussi ? Maintenant ça marche plus. Ah, on est bien.

– Non, je comprends pas, dit Charles, embêté. Pourtant, c'est le portable qui aurait dû sonner, il faut que je rappelle France Télécom…

– Mais Charles, dit doucement Georges, c'est normal que le portable n'ait pas sonné, tu as appelé sur le fixe. Et en plus, y a pas de raison qu'il sonne le portable, il est éteint. Alors.

– Ah bé voilà ! Il est éteint ! Il est où ? »

Georges lui tendit un portable tout neuf et de toute évidence jamais utilisé, protégé par une housse en plastique transparent impeccable.

« Je l'emporte avec moi. Je reviens », dit Charles, qui s'était déjà envolé vers le garage.

Georges se rassit dans son fauteuil, pensant que c'était le lot de tous les vieux, d'un jour s'emmêler les pinceaux, et il essaya de se rendormir pour faire passer son coup de cafard. Il allait falloir lui dire, à Charles, qu'on ne partirait pas. Et avant qu'il puisse trouver comment, Charles était déjà de retour. Sa hanche devait être de sacrée bonne humeur aujourd'hui.

« Ça marche, bon sang de bonsoir... Je t'explique... » Adèle pouvait bien appeler chez lui, elle n'y verrait que du feu ! Ils pouvaient faire leur tour tranquilles. Charles initia Georges aux mystères du renvoi d'appels et, tant qu'on y était, au monde merveilleux de la communication moderne. Tant et si bien que son veau aux carottes fut mis au frigidaire dans un Tupperware, et sa salade aussi, et son riz au lait aussi, et qu'il manqua même sa Ricoré et son petit chocolat de quatre heures... Son enthousiasme d'adolescent avait eu raison des plaintes de son estomac et, surtout, avait fait taire les voix de Georges. Par politesse, elles s'étaient tues. Par respect. Parce que les voix peuvent tourmenter un homme, le rendre fou à coups de doutes, lui chanter les louanges de la fainéantise et de la lâcheté. Mais elles ne touchent pas aux voisins.

Six jours plus tard, une Renault Scénic bleu métallisé avec toit ouvrant et navigation satellite, pimpante sous le soleil encore fier de cette fin septembre, abordait le virage de la petite route arborée de Chanteloup. Dans le rétroviseur, Georges regarda la famille de Charles qui leur « faisait au revoir », Thérèse essuyer une larme, et la maison où il avait passé quatre-vingt-trois ans rapetisser avant de disparaître derrière les arbres. Sa poitrine était lourde et sa gorge un peu serrée, mais il ne regrettait rien. Charles, qui conduisait d'une main et agitait toujours l'autre par la fenêtre, semblait quant à lui avoir tout un orchestre joyeux dans le cœur. Cent cinquante-neuf ans à eux deux, et ils étaient partis pour le Tour de France.

Jeudi 25 septembre

Chanteloup (Deux-Sèvres) – Notre-Dame-de-Monts (Vendée)

Leur grande épopée en Renault Scénic suivait à la lettre l'itinéraire du Tour de France 2008, soit vingt et une étapes (à la différence près que dans le tour de Georges et Charles, il n'y avait pas d'étape 4, car on ne comptait pas le contre-la-montre individuel de Cholet). Ils s'étaient donné deux, voire trois jours pour chacune, histoire de visiter la région. En revanche, ils changeaient presque chaque jour d'hôtel. Leur expédition allait donc passer par :

Étape 1 : Brest-Plumélec
Étape 2 : Auray-Saint-Brieuc
Étape 3 : Saint-Malo-Nantes
Étape 5 : Cholet-Châteauroux
Étape 6 : Aigurande-Super-Besse
Étape 7 : Brioude-Aurillac
Étape 8 : Figeac-Toulouse
Étape 9 : Toulouse-Bagnères-de-Bigorre
Étape 10 : Pau-Hautacam

Étape 11 : Lannemezan-Foix
Étape 12 : Lavelanet-Narbonne
Étape 13 : Narbonne-Nîmes
Étape 14 : Nîmes-Digne-les-Bains
Étape 15 : Embrun-Prato Nevoso
Étape 16 : Cuneo-Jausiers
Étape 17 : Embrun-L'Alpe-d'Huez
Étape 18 : Bourg-d'Oisans-Saint-Étienne
Étape 19 : Roanne-Montluçon
Étape 20 : Cérilly-Saint-Amand-Montrond
Étape 21 : Étampes-Paris Champs-Élysées

Trois étapes supplémentaires précédaient la numéro 1, qui reliaient Chanteloup à Brest, le point de départ du Tour, car comme disait Charles, « ça fait une sacrée trotte ». Il les avait baptisées étape 0 (Chanteloup-Notre-Dame-de-Monts, arrêt chez Ginette Bruneau, la sœur de Charles), étape 0 bis (Notre-Dame-de-Monts-Gâvres, arrêt chez Odette Fonteneau, une cousine de Charles) et enfin étape 0 ter (Gâvres-Brest).

On commença par prendre le grand virage après Chanteloup, et les petites routes où le pissenlit poussait dans le goudron craquelé firent place à des routes à l'asphalte si raccommodé qu'on aurait dit du patchwork. Ils passèrent des noms familiers sur des panneaux rouillés :

La Timarière, La Châtaigneraie, Le Bout du monde. Puis des bandes blanches apparurent, on croisa des camions sur les grand-routes, et on sut qu'on était vraiment partis.

La voiture n'était pas très chargée : elle ne contenait que la petite valise de Georges et celle de Charles, qui faisait deux fois la taille de celle de son compagnon, moderne avec des roulettes (car quand Charles sortait, c'était un élégant), et tout un carton de guides touristiques. Celui de la Bretagne du Sud avait été mis dans la boîte à gants, avec le mode d'emploi du GPS et les pastilles Vichy de Charles. Thérèse leur avait également préparé un nécessaire à pique-nique – ils n'allaient pas manger au restaurant tous les midis, tout de même. Elle en avait profité pour ajouter, sans qu'ils s'en aperçoivent, une toute petite cagette de tomates du jardin et le jambon gagné au concours de belote.

Ils n'étaient pas très causants, Georges et Charles, dans cette voiture qui sentait le neuf. À part la voix soyeuse et monotone du GPS, c'était plutôt silencieux. L'atmosphère était à la réflexion. Et à la contemplation. L'automne était à peine avancé, les arbres avaient tout juste commencé à roussir, mais c'était vraiment joli. Georges, qui n'était pas sorti de son trou depuis des années, appréciait.

Des Deux-Sèvres à la Vendée, ils traversèrent des villages tranquilles, avec leurs géraniums aux fenêtres, leurs maisons bourgeoises sous les vignes rouges et leurs clochers qui perçaient les nuages. À mesure qu'ils roulaient, le paysage se transformait par touches subtiles. À la palette de vert on mélangeait un peu de jaune ici, un peu de noir là. Les rondeurs du bocage s'allongeaient en plaines chatouillées par le vent. On distinguait un moulin, une maison au toit de chaume derrière des pins, les enseignes des campings et les marais salants : on approchait de l'océan.

Notre-Dame-de-Monts était une station balnéaire propre, discrète et surtout petite par la hauteur, et c'est là que se trouvait le secret de son charme. Cette partie de la côte vendéenne avait souffert dans les années 70 d'une vague de construction qui avait irrémédiablement défiguré quelques-unes de ses villes. Saint-Jean-de-Monts, à dix kilomètres de là, vit sa belle plage se border de gigantesques immeubles en béton, d'arcades bruyantes et de fast-food. Notre-Dame-de-Monts, pour sa part, avait été miraculeusement épargnée, et on distinguait à peine les maisons derrière son joli front de mer et les grandes herbes de ses dunes. Charles connaissait bien l'endroit car il était souvent venu rendre visite à sa sœur, qui vivait là à l'année, mais Georges, pour qui c'était la première fois, le découvrit avec un vif plaisir.

Ils arrivèrent dans la petite station balnéaire à 11 h 30. Comme ils étaient attendus pour le déjeuner et ne voulaient pas s'imposer trop tôt à leur hôtesse, les deux compères décidèrent d'aller admirer la mer qui scintillait derrière les drapeaux de l'esplanade. Le soleil, qui s'était à peine montré durant l'été, réchauffait le sable de la plage et faisait lambiner les derniers estivants. Georges et Charles, les pieds dans le sable, les yeux dans l'océan Atlantique, étaient contents mais n'osaient pas se le dire.

Les deux voisins étaient devenus comme timides. Il faut dire que leur amitié avait eu le même décor pendant trente ans (enfin, à bien y réfléchir, ça faisait plus près de quarante). Ils partageaient la tisane à l'heure de la météo. Ils s'invitaient aussi mutuellement aux anniversaires et aux fêtes de famille. Ce fut d'abord pour le dessert et le café, jusqu'au jour, il y avait plus de quinze ans de ça, où Charles avait convié Georges et son épouse, peut-être par erreur, peut-être pas, pour l'entrée et le plat de résistance, à l'heure où l'on en était encore aux discussions sérieuses, cravates encore nouées, belles-sœurs encore polies. Leur amitié supportait également tout un commerce de laitues, tournevis, fourgons, sacs congélateur, ficelles en tout genre, adresses de cousins et menus services. C'était une routine pratique et agréable ;

Dieu sait pourquoi ils avaient voulu faire les mariols et changer ainsi leurs habitudes !

Soudain, là, sur le front de mer à Notre-Dame-de-Monts, ils ne savaient plus quoi dire. Leur amitié respirait l'air du large, ils verraient bien si elle s'en remettrait.

Georges et Charles arrivèrent chez Ginette à midi trente exactement. Embrassades, avez-vous fait bon voyage, un peu de monde vers Le Perrier comme d'habitude, mais sinon ça a bien roulé, il fait encore beau, vous amenez le soleil, il a fait un temps de chien tout l'été, et la santé, il faut pas se plaindre. C'étaient les mêmes mots chaque année, le jeu des questions-réponses qu'on connaissait par cœur, où tout le monde parlait en même temps, comme le refrain d'une chanson qu'on aime bien.

Ginette proposa de déjeuner sur la terrasse, où la table était déjà mise. Était-ce l'air de l'Atlantique, ou peut-être la douceur des pins qui parfumaient le jardin à l'heure du café ? Georges se sentit mieux que depuis des années. Il avait déjà croisé Ginette dans des déjeuners de famille, où il lui avait trouvé un air pète-sec. Mais ici, chez elle, elle était bien différente. Elle faisait à peine ses soixante-treize ans, avec ses cheveux rougeoyant, son pantacourt et ses sandales en plastique orange. Il n'avait jamais remarqué auparavant sa vitalité d'adolescente – ou était-ce le veuvage qui, ma foi, lui allait bien ? En tous les cas, ici, dans son jardin, les manières de Ginette étaient un brin plus coquettes et cette autorité naturelle devenait à la fois plus piquante et plus douce, comme le vent de l'automne dans les pins parasols. Et comme cette petite eau-de-vie de prune particulièrement piégeuse.

Charles gardait l'œil. Car Georges, sensible à quelles vertus, allez donc savoir – celles de Ginette ou celles de sa prune, ou même les deux à la fois –, s'était mis à faire l'idiot. Il retrouvait soudain les paroles de chansons qu'il n'avait pas entonnées depuis soixante ans peut-être. C'étaient aussi les mille gloires du Tour qu'ils allaient revivre une à une, ensemble, c'étaient des histoires au passé et des verbes au futur. Les voisins timides avaient retrouvé leur gouaille.

De prune en chocolat, de petit chinon en tisane, l'après-midi devint soirée et la soirée devint nuit. Après un dîner qui n'avait rien à envier au déjeuner, la partie de rami fut de mise.

Ginette sortit le tapis Crédit lyonnais et les deux jeux de cartes. Georges était déjà installé à la table du salon, penché sur sa tisane. On pouvait même dire qu'il cuvait sa prune. Tout en distribuant les cartes, Ginette demanda :

« Georges, et cette petite-fille Adèle, comment ça va, là-bas, à Londres ? Elle travaille dans le cinéma, non ?

– Oh oui, mais je sais pas trop bien ce qu'elle y fait, dans le cinéma. Enfin, c'est elle qui a voulu... Tu sais, c'est pas à moi qu'elle raconte tout ça. »

Georges eut soudainement l'alcool triste, et Ginette se laissa gagner à son tour par la mélancolie.

« Ah oui, oh les jeunes maintenant, ils partent...

– Oh Ginette, ils sont toujours partis, les jeunes... Même nous, on est partis.

– Oui, mais on n'est pas partis loin, rectifia Ginette.

– Pas loin, pas loin, intervint Charles. Oui enfin, c'était tout comme. Moi, mes parents étaient à Bressuire quand je suis parti pour m'installer avec Thérèse en 54, bon. Avant Chanteloup, on était à Pougne-Hérisson, là, du côté de Parthenay. Bon, ben, comment dire, pour aller voir les aïeux, vingt-cinq kilomètres, ça fait pas beaucoup, n'empêche qu'en 54, les vingt-cinq bornes à vélo, il fallait se les coltiner, ça faisait beaucoup plus loin que maintenant ! On n'y allait pas tous les quatre matins et on s'appelait pas pendant des heures et internet et les e-mails et ci et ça. Les jeunes maintenant, plus y vont loin, plus on les a sur le paletot. Enfin, moi je dis ça, je me plains pas. Mais des fois… Georges, c'est à toi de jouer. »

Georges regarda son jeu d'un air distrait et enchaîna sur le même refrain :

« Ah oui, le téléphone. Aaaahh, le téléphone. Alors ça, toujours *pen-dus* à ce téléphone, mais c'est pas vrai, bon sang de bonsoir ! Alors avant, c'était déjà insupportable, mais au moins, bon, c'était utile. Mais maintenant avec leurs téléphones portables…

– Et attends, le coupa Charles. Tu vas voir jusqu'où ça va, cette affaire. V'là ti pas que mon petit-fils de Parthenay, il vient à la maison, là, aux vacances. Eh bien, il reçoit ses e-mails, attention, ses *e-mails d'Internet*, sur le téléphone portable ! » Pour souligner l'absurdité de la chose, il tapa du poing sur la table et se renversa sur sa chaise. « Moi j'avais bien vu ça à la télé, mais je me suis dit, non, c'est pour les gens qui sont dans la partie, dans les télécoms, ou à la limite les grands P-DG, eh bien non ! Mon petit-fils ! Qui est charcutier à Parthenay ! »

Georges secoua la tête. « Ah, si même dans la charcuterie il leur faut des ordinateurs partout, alors où est-ce qu'on est rendus… Bon… Mais Ginette, mais qu'est-ce que tu fais ?

– Je déballe, annonça fièrement Ginette.

– Déjà ? s'écria Charles. Et tu déballes sec ?

– Eh oui, et sans joker !

– Oh lolo... Alors moi j'avais rien du tout. Tiens, regarde-moi ça. Même pas une figure, y a rien qu'est rentré, tiens. Bon, sans joker, ça donne des points en plus, j'm'en rappelle plus...

– Non, pas de points en plus, juste votre admiration, messieurs... Moins vingt pour bibi et deux cents points pour vous deux.

– Ah, ça commence bien... Bon, c'est à qui de distribuer ? fit Georges.

– C'est à l'imbécile qui l'demande », s'esclaffa Charles, grand habitué des concours de belote.

Alors que Georges distribuait les cartes, Ginette avança avec précaution :

« Mais tu sais, ce que tu dis sur les téléphones portables, Georges. Moi j'en ai un... »

Georges s'arrêta net dans sa distribution et l'interrompit avec vigueur :

« Ah, mais moi aussi, Ginette, j'en ai un, *mais je l'utilise pas* !

– Enfin si, là, tu l'utilises, Georges, le corrigea Charles. Avec tes appels qui sont redirigés...

– Ah oui, mais là, c'est différent...

– Georges utilise son portable pour faire croire à tout le monde qu'il est pépère à Chanteloup alors qu'il fait le Tour de France, confia

Charles à Ginette en aparté, avec un petit sourire en coin.

– Mais c'est *pour pas qu'elles s'inquiètent* !

– Ah bon ? Tu peux faire ça avec les portables ? demanda Ginette, admirative.

– Parfaitement, m'dame ! répondit Charles fièrement. C'est même moi qui lui ai fait la manip, t'as qu'à voir.

– Bon, Charles, reprit Georges, qui était soudainement d'humeur sensible. Tu déballes ou tu fais un cours de technologie ? Ah j'aimerais bien être à demain pour savoir si on va jouer aujourd'hui...

– Enfin, comme je disais, reprit Ginette, moi j'en ai un de portable, et je trouve ça très bien.

– Eh bah oui ! s'exclama Georges. Qu'est-ce que je disais, les bonnes femmes, toujours pendues au téléphone !

– Ah non, pas du tout, la preuve, j'ai un forfait avec une heure de communication par mois. Par *mois* !

– Pff, c'est déjà trop.

– Eh bien, je trouve que, comment dire, ça rend plus libre. Je fais beaucoup plus de choses depuis que j'ai mon portable.

– Enfin quoi, pouffa Charles, t'avais une vie de nonne, avant ?

– Non, mais je trouve qu'on est plus proche des gens.

– Plus proche, plus proche, reprit Georges, enfin moi je suis à la campagne pour pas qu'on m'emmerde, alors être proche des gens…

– Georges, le corrigea Charles, ça fait quatre-vingt-trois ans que t'y es à la campagne, c'est pas comme si t'avais choisi…

– Non, mais si j'avais eu à choisir, eh ben j'aurais choisi exactement où je suis. Pour pas qu'on m'emmerde ! »

Personne n'avait de jeu, et la fatigue commençait à se faire sentir. On ne déballait plus, mais on bâillait sec. Finalement, la victoire fut octroyée à Ginette, et on rangea le tapis de cartes dans le buffet couvert de bibelots. C'était l'heure de défaire sa valise et d'en sortir les pyjamas bien repassés.

Ginette avait une grande maison dont elle n'occupait qu'une partie, le reste étant loué l'été à deux familles de vacanciers qui venaient depuis des années. Elle ne manquait pas de chambres d'amis, Charles et Georges eurent donc chacun la sienne.

Georges s'installa dans ses quartiers, une petite chambre avec un polochon comme il les aimait, un dessus-de-lit en chenille marron et une grosse armoire qui sentait bon l'antimite. Le matelas avait l'air de bonne qualité. Il faut dire que ce qui lui faisait le plus peur dans cette folle épopée, c'était la literie. Pour le bruit, il avait prévu les boules Quies, pour les moustiques, il avait sa citronnelle, mais pour la literie, c'était la loterie. Après une toilette extrêmement succincte dans la salle d'eau qu'il partageait avec Charles, il s'assit sur le lit, ôta ses savates et s'étendit avec soin, pour finir avec un grand soupir. Le lit était bon. Il prit son livre, un thriller de Mary Higgins Clark, mais la tête n'y était pas. Ça zizinait, ronronnait, s'excitait, chantonnait, radotait... Bref, la tête avait des choses à dire. Il fallait se rendre à l'évidence : Georges avait de regrettables bouffées d'optimisme.

Il était bien, nom d'une pipe. Le lit était fait comme pour lui, le silence ressemblait à celui de chez lui, avec un très léger chchchchch s'il se concentrait bien... le vent dans les pins ou l'Atlantique ? Peut-être son imagination. Les figures géométriques du papier peint, dans un camaïeu de beiges, apaisaient Georges, l'hypnotisaient presque. Les deux repas avaient été exquis, mais sans prétention. Georges ne supportait pas la prétention en matière culinaire. Dans bien d'autres matières aussi, à y réfléchir. Ces repas avaient l'air tout simples, comme si Ginette n'avait pas fait d'effort particulier pour les préparer. Mais cinquante ans de mariage lui avaient appris qu'elle avait dû passer la matinée entière à cuisiner, et peut-être même la veille aussi. En préparait-elle souvent, des repas comme ça, tout simples, comme il les aimait ?

Il aurait bien aimé revenir, en fait. Ginette allait-elle l'inviter à nouveau ? Pourraient-ils rester un jour de plus et sacrifier l'arrêt à Gâvres ? Ça ne lui chantait guère d'aller passer la journée avec la cousine Odette. Il ne la connaissait pas et ne s'en portait pas si mal, elle n'avait pas l'air commode. En plus c'était une grenouille de bénitier, pas du tout le genre de Georges. Que dirait Charles de ce changement de plan ? Après tout, ça ne bousculait pas tellement leur programme, et puis ils pourraient aller voir l'île de Noirmoutier tous les trois, Noirmoutier c'était beau par tous les temps, paraît-il. Toutes ces pensées emmenèrent subrepticement Georges vers un sommeil tout simple. Tout simple.

Vendredi 26 septembre

Notre-Dame-de-Monts (Vendée)

Le lendemain, il se réveilla avec un très agréable sentiment de panique. Il avait tellement bien dormi qu'il ne savait plus ni où il était ni quelle heure il était. Pendant quelques secondes, il se sentit tout neuf. Il faisait jour. 8 h 47. Un miracle. Il resta dans le lit sans bouger.

Pendant ce temps, Ginette et Charles, en robe de chambre, préparaient le petit déjeuner dans la cuisine. Ginette était très fière de sa cuisine moderne, tout équipée. Son fils lui avait tout fait changer deux ans auparavant et elle avait choisi un modèle rouge chez Ikea. Seuls les bibelots, qui couvraient pratiquement chaque centimètre de surface plane, dataient de bien avant l'ère Ikea.

Ils parlaient tout bas car ils parlaient de Georges. Ginette avait entendu dire qu'il était bien mal en point, et s'enquérait, sur le ton navré de rigueur, de son état de santé. Charles, lui, n'était pas navré.

« Tu parles. Georges, c'est de la graine de centenaire. Il est fort comme un bœuf, il nous enterrera tous.

– Mais enfin, tu ne m'avais pas dit que les docteurs… ?

– Non, non, non. D'abord, c'est pas *les* docteurs, c'est son médecin, qui depuis vingt ans lui trouve toujours des tas de trucs et le bourre de médicaments. Comme Georges, il les prend pas, ses médicaments, il est persuadé qu'il va claquer après-demain, mais moi je vais te dire, c'est pas demain la veille.

– C'est tout ce qu'on lui souhaite.

– C'est sûr, mais je sais pas si c'est ce qu'il se souhaite à lui, tu vois. Le Georges, ce qui va pas trop, c'est le ciboulot. Il est, comment je te dirais ça… déprimé. Alors, c'est bien pour ça que je me suis dit, un petit peu d'air ça devrait pas lui faire de mal.

– Ah oui, tu crois, une petite dépression ?

– Même une grosse. Mais attention, si tu lui parles de dépression, il se met dans un de ces pétards ! Thérèse, elle a essayé une fois, elle lui a parlé de son homéopathe à Bressuire. L'homéopathie, y paraît que ça marche bien pour ça. Bon, eh bien, elle s'est fait envoyer sur les roses, quelque chose de bien.

– Chut chut chut, fit Ginette en entendant les pas de Georges dans le couloir.

– De la graine de centenaire, j'te dis, lui murmura Charles pour l'emphase.

– Bonjour tout le monde ! s'écria Georges, qui avait l'air frais comme un gardon. Ah j'ai bien dormi. Ginette, ton lit, chapeau.

– Eh bien ça me fait plaisir ! Un petit café, Georges ?

– Allez ! »

Le petit déjeuner fut un ballet de cachotteries, entre Ginette qui glissait à son frère : « Il a la patate, pour un déprimé, ton Georges », Georges qui chuchotait à Charles son idée de changement d'itinéraire, Charles qui demandait à Ginette en aparté s'ils pouvaient s'incruster une nuit supplémentaire et Georges qui s'empressait de demander la réponse à Charles.

Finalement, quand les biscottes furent rangées et les bols lavés et essuyés, ils savaient tous que Charles et Georges resteraient encore un peu, et cela convenait à tout le monde. Les deux compères partiraient très tôt le lendemain matin, déjeuneraient à Gâvres avec la cousine, et hop, direction Brest, la première étape du Tour 2008, où ils avaient réservé une chambre à l'hôtel du Centre. En attendant, ils iraient chercher des coques au passage du Gois à Noirmoutier, l'endroit même où Olano avait dit adieu, de façon acrobatique, au Tour 99.

C'est avec la tête pleine d'anecdotes du Tour et d'optimisme que Georges commença une journée qu'il devait longtemps garder au chaud dans son cœur à pile.

Samedi 27 septembre

Brest (Finistère)

Adèle regarda sa montre. 20 h 57 – une heure de plus en France, cela faisait tard pour appeler son grand-père. Elle s'était promis de lui téléphoner une fois par semaine ; dix jours s'étaient écoulés. Chaque fois elle avait laissé passer l'heure. Mais elle se souvint que l'émission de variétés à la télé n'était sûrement pas terminée, il y avait donc encore des chances pour qu'il réponde. Son grand-père décrocha à la deuxième sonnerie.

« Allô, Adèle ? dit-il sur un ton plus enjoué que d'habitude.

– Oui, papy, oui, c'est moi, répondit-elle, un peu surprise. Ça va, papy ?

– Oui, ça va très bien, je suis assis bien tranquille, là dans le salon, à regarder la télé. »

Quelque chose clochait. Adèle appelait rarement certes, mais ses conversations avec son grand-père suivaient à ce point le même scénario, qu'elle aurait pu les écrire à l'avance. La seule fois où cela s'était passé différemment, c'était lors de la mort de sa grand-mère. Son grand-père n'avait pas l'air naturel, et la télé était à fond. Elle entendit un curieux : « Au rond-point, prenez la deuxième sortie. »

Elle vérifia qu'elle avait bien composé le numéro du fixe.

« Tu es sûr que ça va bien, papy ? »

Il mit quelques secondes avant de répondre, et elle entendit une sorte de murmures, comme un pchhiiiiiitttt.

« Oui, tout va bien, tout va bien, rien à signaler. Et toi, ça va bien ?

– Oui, ça…

– Bon, eh bien, je t'embrasse alors !

– Papy, tu es avec des gens là ?

– Non, non, il n'y a personne, je regarde la tél… »

BAAAAAAAMMMMMMM ! Un bruit assourdissant, comme un coup de feu, résonna dans le téléphone.

« Papy ! Papy, qu'est-ce qui se passe ? PAPY ! »

Adèle n'eut pas le temps de comprendre, la communication fut coupée. Elle recomposa le numéro avec frénésie. Sonnerie dans le vide. Elle essaya le portable. Même chose. Son cœur battait à toute allure et son cerveau formulait mille scénarios à la seconde. Était-ce vraiment un coup de feu ? Une explosion ? Son poêle… son poêle qui datait de Mathusalem. Il avait dû exploser. Ou un voleur avec un fusil ? Ils avaient tous des fusils, dans ce bled paumé. Qu'est-ce qu'elle pouvait faire ? Appeler la police ? Mais c'était quoi, le numéro français pour la police ? Heureusement, son grand-père finit par décrocher.

« Papy ? Papy, ça va ? Papy, tu es blessé ? Tu n'as rien ?

– Oh, ma pauvre fille, fit Georges d'une voix tremblante.

– Qu'est-ce qui se passe ? dit Adèle affolée.

– Promets-moi de ne rien dire à ta mère. »

Adèle fut surprise mais plutôt rassurée, s'il pensait déjà aux cachotteries à faire à sa fille, ça ne devait pas être bien grave.

« Mais enfin, dis-moi, papy…

– Adèle, ma petite, répondit son grand-père avec un peu plus d'assurance, il n'y a rien de grave, mais il faut me promettre de ne rien dire à ta mère, sinon, elle va se mettre dans des états pas possibles. »

Adèle promit du bout des lèvres. Son grand-père lui expliqua donc qu'ils étaient en voiture, et que Charles essayait d'« enlever le son de la bonne femme du GPS », qu'il s'était trompé de bouton, et qu'alors qu'il trifouillait en vitesse toutes les manettes et tous les boutons de la Scénic, il n'avait pas vu la voiture devant qui ralentissait pour tourner à droite.

« Mais comment ça se fait que vous êtes dans une voiture alors que j'appelle chez toi ? Et vous êtes où, d'abord ?

– On est à trente kilomètres de Brest. On a dévié les appels.

– De... Brest ? En *Bretagne* ?

– Oui, dans le Finistère. »

La maison de son grand-père à Chanteloup. Brest. Au moins cinq cents bornes.

« Mais papy, qu'est-ce que vous fichez à Brest ?

– On a prévu de faire le tour de France.

– Papy, ne me dis pas...

– Non, non, pas à vélo, on le fait juste en voiture. »

Adèle articula, pour s'assurer qu'elle avait bien compris :

« Trois mille bornes en voiture. »

Son grand-père ressentit une pointe de fierté ; c'était bien la première fois que quelqu'un trouvait ça impressionnant. Il ne put s'empêcher d'ajouter : « Trois mille cinq cents. » Mais il le regretta aussitôt.

Adèle essayait d'imaginer ce que sa mère aurait dit.

« Et les docteurs, tu as vu ton docteur, il t'a dit quoi ?

– Pfff... tu penses, les docteurs, tous des cons.

– Mais, euh, tu n'es pas tout seul ? Quelqu'un est au courant, au moins ?

– Charles est avec moi, et toute sa famille est au courant, ils l'ont même encouragé, eux, fit Georges avec un ricanement à peine perceptible.

– Bon… Mais papy, pourquoi vous faites le Tour de France… ?

– Parce qu'on en avait envie. »

Cette réponse toute simple la prit par surprise. Elle était attendrissante, tendre même, et surtout son grand-père en devenait humain, sans âge, un peu comme elle, comme tout le monde, avec cette envie d'aller voir ailleurs, comme ça.

« Donc on est d'accord, tu ne dis rien à ta mère. »

Et tout revint, les pilules, la vue qui baisse, les rhumatismes et les clichés sur la vieillesse. Elle finit par dire, d'un air embêté :

« Papy, je ne sais pas, tu sais, maman… C'est quand même risqué pour ta santé, ce que tu fais là.

– Adèle, je suis pas encore mort.

– Bon, il faut que j'y aille, papy. Je… je t'appelle plus tard. »

❖

Il était presque minuit. Georges et Charles étaient enfin arrivés à l'hôtel du Centre à Brest avec près de trois heures de retard sur l'horaire. Ils avaient été sacrément secoués par cette histoire d'accident. Pourtant, ils en avaient vu d'autres, mais ce qui venait de se passer était tellement imprévu, cocasse, irréel, qu'ils s'en emmêlaient les pinceaux. C'était à en regretter d'avoir commencé le Tour. La première étape serait peut-être bien la dernière. Et pourtant. Et pourtant, l'aventure avait tellement bien commencé… surtout pour Georges.

Georges et Ginette s'étaient très bien entendus. Même Charles, dont les antennes n'étaient pas très affûtées à ce qu'on appelait la psychologie, l'avait remarqué. On avait tellement traînassé à Notre-Dame-de-Monts que l'arrêt à Gâvres avait été tout simplement rayé de l'itinéraire – et la cousine avec. Charles avait d'abord rechigné à l'appeler avec son excuse bidon, mais il avait fini par obtempérer, comme un adolescent penaud. Les trois amis prirent un autre repas exquis sur la terrasse de Ginette. Alors qu'on en était au café et que l'heure du départ approchait, Ginette, qui n'en perdait pas une, comme toutes les bonnes femmes, leur annonça qu'elle les rejoindrait à Nantes. Comme ça, « pour faire un petit coucou ». Soidisant, elle en profiterait pour faire un petit coucou à ses amies qui habitaient dans le coin et pour s'adonner à un peu de lèche-vitrines. Sans rien acheter, bien entendu, car c'était la crise.

Charles et Georges avaient prévu d'atteindre Nantes le mardi 7 octobre. Georges s'y voyait déjà, les héros du Tour acclamés à l'arrivée par la foule, essentiellement constituée de Ginette. Charles rétorqua, l'air faussement sévère, que selon le règlement du Tour, la présence des femmes des athlètes n'était pas permise. Mais Georges, qui était en verve, répliqua : « Ah, mais ça tombe bien, vu que Ginette n'est pas ta femme ni la mienne, et que le règlement stipule, n'est-ce pas, que le tour est ouvert aux "irrégulières de toute catégorie". » Ginette fit mine de rougir et Charles dit en riant : « Ah, alors, si c'est dans le règlement... » Ils trinquèrent au règlement avec un petit verre de prune (Charles ne prit qu'un canard, car il devait conduire). Pour ne pas se manquer à Nantes, Ginette montra à Georges et à son frère comment enregistrer son numéro dans le téléphone portable de Georges. Elle écrivit « Ginette Bruneau » ainsi que ses numéros dans le téléphone de Georges, et prit ses coordonnées en retour. On promit de s'appeler pour décider de l'heure et du lieu du rendez-vous. Pour Georges, ces moments agréables changeaient un peu l'idée qu'il se faisait de ce Tour ; mais une chose restait plus que jamais certaine : on ne le mettrait pas dans une maison de vieux.

À présent, assis seul dans sa chambre jaune et gris de l'hôtel du Centre, contemplant la vieille valise qu'il n'avait pas encore déballée, il pensait avec une profonde tristesse que rien n'était moins sûr.

Il avait imaginé que personne ne saurait, que personne ne viendrait contrecarrer ses projets, et voilà que tout était découvert. Pendant trois jours, il s'était senti un peu plus lui-même, le lui-même d'avant, et voilà qu'il redevenait le vieux papy avec ses douleurs, qui ne devait rien faire pour ne pas se fatiguer, pour ne pas s'abîmer davantage. Lui-même était coupable : il avait tant de fois goûté la douceur de l'empathie ! Elle n'avait jamais éteint la douleur, certes, mais au moins elle avait calmé le désespoir qui l'attisait. À présent, c'est de liberté dont il avait besoin, et il découvrait sans surprise qu'on la lui refusait. Georges pensa à Adèle. Le dirait-elle à sa mère ? Oui, évidemment, c'est bien pour cela qu'elle avait appelé le premier soir. Pour le surveiller. Et bien sûr, elle l'avait coincé la main dans le sac. Il aurait bien aimé discuter de tout cela avec Charles, mais il n'en trouvait pas le courage. Il était cloué sur son lit, dans cette chambre jaune et gris.

Il sursauta quand le téléphone sonna.

« Papy ?

– Oui…

– Bon, tu as ton portable donc.

– Oui, oui, fit Georges, las.

– Est-ce que tu sais comment écrire des textos ?

– …

– Tu sais, les messages qu'on envoie par téléphone portable.

– Oui, oui, je vois bien, les textos, mais pour les envoyer, ah ! ça… ma petite-fille…

– Bon, demande à Charles ou à la réception de l'hôtel, ils vont te montrer.

– Mais pourquoi que tu veux que j'écrive des textos ?

– Parce que tu vas m'en envoyer un tous les jours », fit Adèle avec autorité et un brin d'espièglerie.

Georges commençait à reprendre espoir. Elle n'avait toujours pas parlé de Françoise.

« Tous les soirs, papy, tu vas m'envoyer un texto, pour me dire un, que ça va, et deux, où vous êtes.

– Alors, comment ça va, et où on est. D'accord.

– Tous les soirs, OK ? Si jamais il y a un soir où je n'en reçois pas, je descends te chercher et j'alerte maman. OK ?

– OK. Ça me va. Y a pas à s'inquiéter, je t'en enverrai un tous les soirs. Bon. Et ce soir aussi ?

– Oui, ce soir aussi, pour tester. Tu peux l'envoyer à n'importe quelle heure, je travaille de nuit.

– Bon, d'accord. Et... c'est tout ?

– Oui, mais tu fais attention à toi, papy, OK ?

– Oui, ma petite-fille. Bon, allez, au revoir. »

Il raccrocha avant qu'Adèle puisse lui répondre et vola vers la chambre de Charles.

« Charles, mon ami, le Tour a besoin de toi ! »

Adèle était seule au milieu du plateau encombré et sombre. Elle se remettait tant bien que mal de ses émotions. Le coup du renvoi d'appels. Les efforts plutôt médiocres de son grand-père pour jouer la comédie. Ensuite l'accident. Et maintenant le Tour de France. Elle qui imaginait son grand-père paisible dans son fauteuil ! Son cœur allait-il supporter tout cela ? N'aurait-elle pas dû simplement lui dire de rentrer chez lui et téléphoner à sa mère ? Françoise avait bien dit qu'elle ne voulait pas être dérangée pendant deux mois, sauf en cas d'extrême urgence. Son grand-père faisait le zouave sur les routes de l'Hexagone, cela constituait-il une extrême urgence ? Non, probablement pas. Adèle l'avait toujours vu collé à son poste de télévision pendant le Tour de France. Elle était petite, mais elle se souvenait que les hommes parlaient toujours fort à ce moment-là à la maison. Après tout, il était peut-être vieux et malade, mais il était responsable de ses actes. Ce n'était pas un enfant. Et pourtant, elle venait de le traiter comme un enfant, qui doit appeler régulièrement ses parents pour leur assurer que tout va bien. C'était compliqué, et Adèle venait à regretter de s'être mêlée de tout cela, elle qui s'était si peu souciée de ses grands-parents pendant si longtemps…

Les bruits familiers du tournage la ramenèrent à la réalité – si on pouvait appeler cela la réalité. Cette maison biscornue, à la fois décor, plateau et personnage du film, représentait son quotidien depuis neuf jours. Les acteurs en costumes d'après guerre, assis sur les marches en bois laqué noir, engloutissaient leur dîner dans des assiettes en plastique, et discutaient avec les techniciens en jean. Il était temps qu'Adèle se rende à son tour à la cantine, installée au rez-de-chaussée.

Elle était moins stressée que les premiers jours, mais aussi beaucoup moins enthousiaste. Elle commençait à connaître l'équipe, du point de vue professionnel (qui faisait quoi, qui avait autorité sur qui), mais aussi personnel, et ceux avec lesquels elle se sentait quelques points communs étaient rares. Les autres, elle préférait les éviter. Adèle n'était pas une sauvage, elle avait d'ailleurs beaucoup d'amis. Deux cent dix-neuf sur Facebook. Mais, pour reprendre l'expression de son grand-père, elle n'aimait pas qu'on l'emmerde – surtout pas dans un boulot où elle n'était pas payée. Elle gardait donc ses distances, même avec ceux dont elle trouvait la compagnie relativement agréable. Là où l'excès de familiarité était généralement de rigueur, elle se contentait d'échanges courtois mais strictement professionnels. Elle avait passé suffisamment de temps sur des plateaux de tournage pour savoir que les amitiés qui s'y liaient étaient aussi fausses que les moustaches des acteurs. Après trois prises, on était amis pour la vie ; le champagne de la fête de fin de tournage à peine cuvé, on s'oubliait aussitôt. Mieux valait ne pas se faire d'amis du tout, cela évitait les déceptions.

Après avoir rempli son assiette en plastique de mets peu appétissants, elle remonta les quatre étages pour s'installer tranquillement dans le bureau de la production. Malheureusement, deux filles dînaient déjà là, et elle ne put refuser leur invitation de se joindre à elles. Michelle et Sophie, respectivement deuxième assistante à la réalisation et assistante maquilleuse, se ressemblaient : elles avaient presque trente ans, étaient plutôt jolies mais sans grâce, venaient visiblement d'un milieu privilégié, parlaient très vite et beaucoup, en faisant beaucoup d'efforts pour cacher leur accent snob. On était très loin des conversations qu'elle imaginait en rêve avant de débuter : sur des tournages où chacun serait payé à sa juste valeur et où on pourrait laisser s'exprimer ses talents, on parlerait, entre deux prises superbes, de l'héritage de la Nouvelle Vague, de l'élégance des films de Wong Kar-Wai ou de la réédition des classiques de John Cassavetes. Dans la réalité, Michelle et Sophie parlaient de Steve, l'ingénieur du son, qui trompait sa femme en se tapant Sally, la scripte, dans les toilettes du Swan Pub, et de la cuite monumentale de mardi soir, qui avait été pire encore que celle de lundi soir.

Dans ces moments-là, Adèle songeait à tout laisser tomber. Son job était ridicule. Apporter le café et tenir la main des acteurs, faire patienter les figurants quand on a cinq heures de retard, recharger les talkies-walkies et descendre dans la rue pour trouver le propriétaire d'une voiture dont l'alarme empêchait le tournage… Elle travaillait quinze heures par jour, six jours sur sept, sans être payée. Si au moins elle pouvait apprendre quoi que ce soit ! Mais elle n'apprenait rien, mis à part les exploits sexuels de Sally la scripte. La plupart du temps elle était loin du plateau, ou alors il n'y avait pas de place pour tout le monde dans la pièce où l'action se déroulait, et certainement pas pour une stagiaire. De tout ce qu'elle voulait voir – les mouvements de caméra, la direction d'acteurs, en bref, le processus créatif –, de tout ce qu'elle espérait être son rôle plus tard dans le Hollywood de ses rêves, elle ne voyait rien.

Et il fallait en outre supporter ces conversations vulgaires. Si seulement Irving Ferns était resté sur le tournage ! Irving Ferns avait joué le rôle du grand-père assassiné les deux premiers jours. Elle avait passé plus de temps avec ce vieil acteur de quatre-vingt-un ans que qui que ce soit dans l'équipe, et avait apprécié sa conversation bien davantage que celle de ces écervelées. Il devait revenir plus tard, pour une ou deux scènes de flash-back. Mais se souviendrait-il d'elle ? Les amitiés ne faisaient pas long feu ici, et quand il était parti, il avait eu une mine étrange.

Elle fut tirée de ses sombres pensées par la sonnerie de son portable – elle avait reçu un texto. Elle ne put s'empêcher de sourire quand elle le lut :

Papy 27/09/2008 22:35
Hotl du Centr, Brest. Sa va.
(Hôtel du Centre, Brest. Ça va.)

Puis, presque immédiatement après :

Papy 27/09/2008 22:36
Hotl du Centr, Brest, FinistR. Sa va.
(Hôtel du Centre, Brest, Finistère. Ça va.)

C'était une belle excuse pour s'éclipser du bureau exigu. Elle dévala l'escalier, sortit dans la rue, en profita pour jeter son assiette à peine entamée dans la première poubelle venue et s'empressa de texter :

Adèle 27/09/2003 22:48
OK

Elle attendit un petit moment dans la fraîcheur du soir, mais aucune réponse ne vint. Malmenée par l'accident de son grand-père et par la désillusion qui poussait comme une mauvaise herbe dans sa tête, elle réalisa que cet échange avait éclairci son humeur. Où son grand-père avait-il appris le langage SMS, lui qui n'en avait jamais envoyé de sa vie ? C'était trop drôle que son papy, qui n'était jamais sorti de son jardin potager, se mette à écrire comme ça ! À y repenser, c'était quand même courageux, ce qu'il faisait. Fou, complètement frappadingue même, mais courageux. « Parce qu'on en avait envie. » Elle sourit à nouveau. À cet âge-là... Chapeau.

Il avait dû passer des mois à préparer cette expédition, il avait dû retracer le parcours mille fois dans sa tête, avoir peur peut-être, se dire que c'était trop ambitieux. Elle espérait qu'il ne serait pas déçu. Elle s'y connaissait, en rêves qui déçoivent.

❖

Une bonne chose de faite ! se dit Georges. Le texto avait été envoyé, le texto avait été reçu, sa petite-fille le laisserait donc tranquille pour le moment. Cependant, l'orthographe farfelue qui était visiblement requise pour écrire un texto le laissait perplexe. Adèle n'avait rien dit à ce sujet. C'était un problème : il ne retrouverait sûrement pas, comme ce soir, quelqu'un pour envoyer ses textos à chaque étape.

Voilà comment le SMS de ce soir avait été envoyé. Charles n'avait été d'aucun secours, donc Georges avait dû aller demander de l'aide à la réception, qui, vu l'heure, était presque déserte. Il avait dû déranger la réceptionniste, probablement une stagiaire, âgée de vingt ans tout au plus. Elle était en grande discussion avec une autre fille, sans doute une amie venue lui tenir compagnie. Il leur avait exposé le problème et les deux jeunes filles eurent l'air de trouver la requête plutôt drôle, et demandèrent avec enthousiasme quel message elles devaient écrire.

« Hôtel du Centre, virgule, Brest, point. Ça va, point. »

Les filles lui firent entrer le numéro d'Adèle dans son portable, puis lui montrèrent comment composer un message et l'envoyer. En trois clics, le message était parti – à Londres ! Il leur demanda ensuite de le renvoyer car il avait oublié « Finistère », après « Brest », ce fut l'occasion de réviser ce qu'il venait juste d'apprendre. Mais il était chiffonné. Ce qu'il avait vu sur l'écran ne ressemblait que vaguement à « Hôtel du Centre, virgule, Brest, virgule, Finistère, point. Ça va, point ». Une partie des voyelles manquait, il y avait même une majuscule au milieu d'un mot. Georges avait un peu honte d'envoyer cela à Adèle : il était intransigeant question orthographe et avait répété mille fois à sa petite-fille, quand elle était petite, qu'une écriture sans fautes était la clef de la réussite. Elle avait d'ailleurs fait sa fierté en arrivant toujours première en dictée.

Il trouva le courage de le faire remarquer :

« Mais euh, mademoiselle, qu'est-ce que je veux dire… votre orthographe, là…

– Ah oui, un texto, vous voyez, ça a sa propre écriture. Le langage SMS, c'est assez spécial, mais vous verrez, c'est cool.

– Ah bon, y a une écriture spéciale ? Mais pourquoi est-ce qu'on peut pas écrire normalement ? »

La jeune fille réfléchit un instant, et ce fut son amie qui répondit :

« Ça passe mieux si on les écrit en SMS. C'est plus rapide, quoi. »

Georges fit mine de comprendre. Il aurait bien voulu en savoir plus, mais trois Anglais arrivèrent à ce moment-là avec leurs valises et il dut remonter dans sa chambre.

Le temps qu'il arrive à son lit, il avait reçu un texto d'Adèle. « OK. » Certes, cette histoire d'écriture SMS était fâcheuse, mais ce nouveau problème avait chassé ses pensées troubles. Le petit texto d'Adèle lui avait fait chaud au cœur. Il l'avait regardé plusieurs fois, et puis il l'avait perdu, impossible de le retrouver. Mais il savait qu'il était là, quelque part. C'était comme s'il avait reçu une petite carte postale. Ah, ça les ferait bien rire, les jeunes, d'entendre un vieux con dire que les textos c'est comme les cartes postales. N'empêche que ça lui avait fait chaud au cœur.

Dimanche 28 septembre

Brest (Finistère)

Georges et Charles passèrent la journée à visiter la ville. Georges se souvenait de photographies d'avant la guerre, du fier arsenal de Brest, avec son château et ses beaux navires. Mais comme il le répétait à Charles, les Allemands avaient tout fait péter. Des avenues rectilignes, des immeubles en béton et une architecture somme toute ratée étaient sortis des décombres. Sur les conseils de la réceptionniste, les deux amis se dirigèrent vers le port de commerce, plus authentique et plus animé que le centre-ville.

Arrivés au port, ils avaient déjà une petite soif. Ils n'osèrent pas s'attarder aux terrasses des cafés envahies d'adolescents aux coupes de cheveux suspectes. À la recherche d'un café « comme chez eux », ils longèrent les quais jalonnés de grues métalliques et de bouées vertes et rouges, suivirent les rails et les wagons de céréales rouillés, et en oublièrent leur quête.

Le temps était agréable. Ça faisait du bien, l'air de la mer, même s'il était mêlé d'une odeur de fuel. Leur promenade les emmena jusqu'au port de plaisance, lové au fond de la rade ; ils finirent par s'installer Chez Odile, dans une petite rue derrière les quais, pour un steak-frites-fromage-café. Le retour à pied vers la voiture se fit très lentement ; il fallait du temps pour digérer. Georges fit un somme pendant les dix minutes de trajet vers l'hôtel, où ils s'accordèrent une sieste bien méritée.

Il était 18 h 30, Charles insistait depuis le matin : il était en Bretagne pour manger des galettes bretonnes. La réception de l'hôtel leur recommanda la crêperie Le Saint-Malo, qui se trouvait à deux pas. À 18 h 45, ils étaient les premiers clients du restaurant. Charles était d'humeur enjouée, mais son compagnon se tortillait sur sa chaise. Finalement, n'y tenant plus, Georges entra dans le vif du sujet.

« On est bien clairs, t'y connais rien, toi, en textos ?

– Ah ça, non ! répondit Charles.

– Bon, parce que… je dois en envoyer un à Adèle ce soir. Et c'est bien joli, mais je sais pas les écrire.

– Comment ça, tu sais pas les écrire ? T'en as bien envoyé un hier soir.

– C'est-à-dire que techniquement, je maîtrise. Je vais te dire, c'est pas bien compliqué, hein. Bon. Mais, tu sais, il y a un langage spécial. Tu sais bien que tu n'écris pas un texto comme tu écrirais... je sais pas, moi, une carte postale. Tu vois, c'est pas aussi bien envoyé si c'est écrit normalement, asséna Georges comme si c'était une évidence.

– Ah oui oui, non non, acquiesça Charles, qui ne voulait pas avoir l'air dépassé.

– Bon, mais niveau écriture de SMS, moi j'suis pas expert.

– Et Adèle, elle l'a écrit comment son texto ?

– Ben... Faut dire... Elle a pas écrit bésef non plus, alors sur un mot, on se rend pas trop compte.

– C'est sûr. »

Dans l'esprit de Charles, il planait sur le sujet comme l'ombre d'un très large doute. Tout le monde écrivait des textos. Même les vieux au club du troisième âge, ils s'y mettaient. Et ceux-là, ils n'avaient pas forcément l'air plus fin que lui – au contraire – et ça l'étonnait un peu qu'il fallût passer par l'apprentissage d'une langue étrangère (enfin, pas tout à fait étrangère, mais c'était quand même kif-kif) pour envoyer un petit texto de rien du tout. D'un autre côté, si c'était vrai, c'est lui qui n'aurait pas l'air fin, et surtout par les temps qui couraient, il valait mieux ne pas passer pour un idiot.

« T'aurais dû me le dire plus tôt, dit Charles. J'aurais demandé à Jonathan, mon petit-fils à Niort, alors lui, c'est sûr qu'il saurait, il passe ses journées à en envoyer, des textos.

– Bah tiens, oui, tu pourrais pas l'appeler, Jonathan ?

– Attends, ça s'explique pas comme ça au téléphone... On va bien trouver quelqu'un ici qui va nous apprendre le b.a. ba. »

Les deux hommes commandèrent du cidre. Georges reprit, sur un ton un peu las.

« Oh, si ça se trouve, y a même pas de règles. Tu parles, c'est que des mots inventés maintenant, et attends, encore pire, des mots inventés en *angliche*, t'as qu'à voir..., fit-il en balançant un geste désespéré.

– Ça serait pas du verlan, si ça se trouve... ? Remarque, au moins, dans le verlan, y a des règles, et c'est même pas bien compliqué.

– Oh, oui. Y a des règles, mais je vais te dire, y a pas de poésie », soupira Georges.

Charles l'imita, pour la forme. Le fait est qu'il n'avait pas trop d'opinion sur la chose.

« Par contre, dit Georges, tu vois, ça m'y fait penser, là. Le louchébem, par exemple. Y avait des règles. Et de la poésie, je m'excuse, mais y en avait aussi. Je dirais pas que c'était du grand art, mais… tiens, en tout cas, y avait du style, du panache. Et en plus, on rigolait bien. Alors que le verlan, tu m'excuseras, ça donne pas trop envie de rigoler.

– Ah oui, le louchébem… Mon oncle il le savait, mais moi, j'ai jamais vraiment maîtrisé.

– Normal, t'étais pas boucher.

– Mon oncle non plus, il était primeurs.

– Remarque, le louchébem, c'était démocratique, tout le monde pouvait le parler, y avait juste à connaître les règles, et c'était simple comme bonjour.

– Enfin, dans mon souvenir, c'était pas si simple que ça.

– Arrête, Charles ! s'indigna Georges. C'était d'un simple ! Bon. Tu prends *louchébem*. Ça veut dire "boucher", bon, ça, tu sais. Donc tu vois, tu remplaces le *b* du début par un *l*. Ça fait "loucher". Bon. Tu prends le *b* que t'as enlevé du début, tu le mets à la fin. Bon. Et puis tu fais une syllabe en "em" – voilà.

– Ah oui, acquiesça Charles, expliqué comme ça, c'est clair. Bon, alors par exemple, crêperie, là ça serait… lrepericem !

– Alors non, en fait. Parce que là, le *l*, ça va pas, ça fait "lreu", "lreu", tiens, je peux même pas le dire. Donc tu insères une voyelle. Et puis "cem" à la fin, ça va pas trop, tu vois, je te dis que c'est là que la poésie entre en ligne de compte. Tu jauges la syllabe.

– Tu jauges la syllabe.

– Parfaitement, elle doit chanter. Moi par exemple, je mettrais… larêpricuche !

– Larêpricuche, répéta Charles en réfléchissant. Ah c'est sûr, là, niveau poésie, y a rien à redire. Bon enfin, excuse-moi, mais c'est pas du tout simple comme bonjour.

– Mais si ! Il faut s'habituer, certes, mais tout le monde peut le parler. »

Georges vit le patron s'approcher de leur table et ses yeux commencèrent à briller.

« Bon, Charles, le louchébem, tu maîtrises, maintenant. Si si, fais fais pas le modeste, tu maîtrises. Alors, demande au *latronpuche* si on peut commander une *lalettegoche de ligogem de lorpic.* »

Il tapa sur la table et se mit à rire tout seul.

« Arrête de faire l'idiot, Georges. Tu vois bien qu'il en a pas, le *patron,* des *galettes de gigot de porc.* »

Et paf, ça en bouchait un coin à Georges, qui était du coup éberlué. Charles aimait bien cette idée de louchébem, ça lui faisait marcher les méninges à fond de train, et c'était bien, par les temps qui couraient.

Le patron se mit à rigoler lui aussi :

« Oh là, c'est quoi que cette langue que vous me sortez là ? Eh, si vous voulez, nous on va vous parler breton !

– Non, ça ira ! Bon allez, on va prendre une fermière et une Chavignol.

– Monsieur, puisqu'on parle de langues étrangères, là, intervint Georges.

– Manquerait plus que le breton soit une langue étrangère, s'indigna le patron. À Brest, en plus !

– Hé hé, excusez-moi, excusez-moi ! Enfin, bon, y aurait pas un des petits jeunes de votre restaurant qui parlerait texto ? Vous voyez, *aissaimaisse* ?

– Oh si, on a un expert ici, c'est Alexandre. Attendez, je vais vous l'appeler. Alexandre ! »

« Alexandre ! Tu comptes une fermière et une Chavignol, et aurais-tu la bonté d'expliquer – succinctement j'entends, on n'a quand même pas que ça à faire – le langage texto à ces messieurs ? »

Le jeune Alexandre, un petit blond d'une vingtaine d'années avec deux poils à la barbe, les cheveux enduits de gel et l'oreille percée, répondit timidement :

« Oh, bah, c'est pas obligé de savoir le langage…

– Oh oui, je sais, je sais, l'interrompit Georges, mais bon, ça passe mieux si on écrit comme il faut ! » Il fit du bras un geste qui avait très vaguement l'air d'une onde. « On veut s'appliquer, alors montrez-nous. »

Le jeune serveur s'assit sur un bout de banquette et saisit le stylo-bille qui pendait à son cou.

« En fait, euh, le but du truc, c'est qu'il faut faire court. Donc, genre "bonjour", eh ben vous écrivez ça "bjr", voyez. »

Il écrivit sur la nappe en papier « bjr ».

« Vous voyez, dans le contexte, on sait que c'est "bonjour".

– Vous voulez dire qu'on omettrait les voyelles », fit Georges.

Alexandre réfléchit.

« Ben pas tout le temps, en fait. Il faut juste raccourcir le mot le plus possible. Donc, euh, bon, vous pouvez enlever des lettres, ou alors vous pouvez écrire avec des chiffres. Par exemple, le son "ain" vous pouvez l'écrire avec "1", le son "deu" avec "2", etc.

– Ah oui, alors j'essaie, dit Georges. Voyons : "Je suis dans une crêperie de Brest" », et il écrivit sur le bout de la nappe : « je suis ds 1 creperie 2 Brest ».

« Moi j'aurais mis "*à* Brest", intervint Charles. En plus, ça rallonge pas. »

Georges regarda son ami avec impatience. Alexandre, de plus en plus enthousiaste, reprit son stylo des mains de Georges et corrigea :

« Mais là, vous pouvez faire encore plus court. »
Il se mit à raturer le texto de Georges et écrivit :

« je sui ds 1 crepri 2 Brest »

Un autre serveur s'approcha.

« Mais qu'est-ce que vous faites ?

– On écrit des textos, lui répondit Georges.

– Vous écrivez des textos sur les nappes, vous… Eh, les gars, j'suis pas sûr que ça arrive ! Ah ah ah ! »

Ignorant la plaisanterie, Georges, pensif, fit la moue :

« Ah oui. Enfin, "crepri", c'est moins joli que "crêp-eu-rie", mais bon, si du coup ça passe mieux…

– Ah ben, surtout, précisa Alexandre, vous avez plus de place pour écrire d'autres choses. Le tout, c'est d'économiser sur chaque mot pour pouvoir en mettre un maximum.

– Ah non, moi, jeune homme, j'économise pour économiser ! s'écria Georges.

– Alexandre, intervint Charles, allez-y, montrez-nous un autre exemple, là, pour qu'on soit sûrs d'avoir bien compris. Faudrait pas qu'on fasse des fautes. »

Alexandre, studieux, reprit son cours.

« Bon, par exemple : "Je mange une crêpe au chocolat et aux fraises."

– Non, le corrigea Charles. Mettez à la place : "Je mange une *tartine* au chocolat et aux fraises”, parce que “crêpe”, on sait déjà comment que ça s’écrit.

– Alors. “Je mange…” »

Alexandre s’appliquait, penché sur la nappe en papier qui était maintenant pleine de ratures. Quand il se redressa, Georges et Charles purent découvrir : « Je manj 1 tartine o chocola é o frez ».

« J’ai pas l’impression que ça ait raccourci des masses des masses, fit remarquer Charles, un brin soupçonneux.

– Parce que pour “tartine”, y a pas de mot en texto ? demanda Georges.

– Eh ben, là tout de suite, je pense à rien. »

Alexandre ratura plusieurs fois le mot sur la nappe, enleva des lettres, en rajouta, mais dut finalement se rendre à l’évidence : « tartine » resterait « tartine ».

« Bon, c’est vrai que “tartine”, ça marche pas très bien. D’un autre côté, vous allez pas l’employer trop souvent, je veux dire, c’est rare qu’on écrive des textos sur les tartines. Sinon, y a plein d’autres mots qu’on peut raccourcir à fond et qu’on utilise tout le temps.

– Bon, fit Charles. Alors par exemple ? »

Alexandre réfléchit.

« Ah si. “À demain.” Ça, on le met beaucoup.

– Ah oui ! s’exclama Georges. Moi, je vais l’utiliser tous les jours ! »

Alexandre écrivit « a 2m1 » et regarda les deux octogénaires d'un air satisfait.

« Et paf, s'écria-t-il, j'ai économisé... trois caractères ! Bon, ça fait pas beaucoup comme ça...

– Mais si, c'est la moitié du mot, 50 % d'économie. Bravo, jeune homme. Allez, un autre.

– Euh... Là, c'est chaud... Ah ben tiens, "c'est chaud"... »

Il écrivit : « C cho ».

« Bon, là, objecta Charles, c'est comme tartine, je pense pas qu'on va l'utiliser beaucoup, surtout qu'on va bientôt être à la Toussaint.

– Ah encore mieux ! "Faire". Ça, on l'utilise beaucoup, hein on l'utilise beaucoup "faire" ?

– Ah, oui, acquiesça Georges, verbe du troisième groupe, très usuel.

– Bon, eh bien, regardez-moi ça : "fR".

– "Freu" ?

– Non ! J'ai mis une majuscule, donc c'est un "erre", donc "feu" et "erre" égale "faire" ! »

Cette fois, Georges et Charles étaient vraiment impressionnés. Alexandre était tout content.

« Et là, j'ai économisé trois lettres sur cinq, ça fait... plus de 50 %, genre 70 % d'économie.

– Eh bé mazette ! Bon, eh bien, mon vieux Charles, on n'a plus qu'à s'y mettre... Enfin, c'est bien joli tout ça, mais, mon petit Alexandre, est-ce que vous avez entendu parler du louchébem ? »

Alexandre n'avait jamais entendu parler du louchébem, mais à la fin de la soirée, cidre local aidant, Alexandre le parlait couramment, ainsi que toute l'équipe de cuisine et une bonne partie des clients, et largonji par-ci et loufoque par-là. Vers 1 heure du matin, on tomba à court de chansons bretonnes, alors Georges sortit les vieilleries : Maurice Chevalier, Ouvrard, Milton, mais quand il fut le seul à chanter, on décida qu'il valait mieux rentrer.

Adèle s'ennuyait. Elle passait son temps à attendre. Seule, avec l'équipe, de nuit, de jour, elle attendait, toujours et encore. Impossible de sortir de cette maison qui sentait le renfermé et d'aller se dégourdir les jambes sur les pavés de Brick Lane : si on criait son nom, elle devrait accourir dans la seconde. Impossible de lire ou de faire des mots croisés, ou quoi que ce soit d'autre, il fallait attendre et faire semblant de s'intéresser.

Une fois de plus elle se retrouvait assise dans un couloir, avec quelques autres membres de l'équipe. C'était un autre couloir, cette fois, qui donnait sur le grand salon, mais il était tout aussi sombre, avec les mêmes rideaux de velours lourds de poussière et les mêmes vieilles fenêtres qui laissaient passer les courants d'air.

Le grand salon, où l'on tournait, était assez spacieux pour qu'elle ait pu s'y trouver une petite place, au chaud et au cœur de l'action, mais on l'avait envoyée chercher un accessoire et elle n'avait pu rentrer à nouveau, car on filmait. Visiblement, on n'avait plus besoin de ce qu'elle était allée chercher. Adèle soupira et s'assit par terre, près du rideau. Dans le couloir, les assistants électriciens discutaient avec les chauffeurs des camions venus prendre un café à emporter dans leur cabine. Deux acteurs, maquillés et habillés depuis longtemps, marchaient de long en large en se faisant répéter leur texte. L'assistant coiffeur cuvait les bières de la veille, affalé sur une marche. Adèle regarda sa montre pour la énième fois : 23 h 12. Encore au moins deux heures à attendre avant de pouvoir rentrer à la maison. Elle bâilla, puis alluma son portable. Oh joie, elle avait un message et trois textos. Cela ferait passer au moins quelques minutes. Les textos venaient tous de son grand-père.

Papy 28/09/2008 19:02
Som ds crepri à Brest, FinistR. Tou va bi1.

(Sommes dans crêperie à Brest, Finistère. Tout va bien.)

Papy 28/09/2008 20:58
Som tjrs ds crepri Saint-Malo. Très bon galett au chavignol et crep frez. Tré bon ambiance. On parl louchébem com bon vieu tan. À 2m1.

(Sommes toujours dans crêperie Saint-Malo. Très bonne galette au chavignol et crêpes fraises. Très bonne ambiance. On parle louchébem comme au bon vieux temps. À demain.)

Papy 28/09/2008 21:09
Crepri est à Brest, mé s'apel Crepri St Malo. À 2m1.

(Crêperie est à Brest, mais s'appelle Crêperie Saint-Malo. À demain.)

Adèle ne put s'empêcher de sourire.

Le message vocal était aussi de son grand-père, et avait été reçu à 22 h 53 – cela voulait dire 23 h 53 en France. Que faisait-il dehors à cette heure-là et pourquoi l'appelait-il ? Elle interrogea sa boîte vocale avec une certaine appréhension. Elle entendit d'abord un brouhaha, et attendit le message, qui ne vint pas. Son grand-père avait appelé son numéro par mégarde, et elle entendait les bruits de fond de la crêperie. En effet, l'ambiance avait l'air plutôt bonne. Elle était sur le point d'effacer le message lorsqu'elle reconnut clairement des hommes chanter. « Jean-Françoué de Nantes… Jean-Françoué… » Puis : « Ah ils sont ronds les

Bretons ! » Pas de doute, c'était bien la voix de son grand-père.

Adèle se mit à rire toute seule. Si c'était ça, l'étape 1 du Tour de France, à l'étape 21 on irait les chercher en cure de désintoxication. Décidément, cet homme correspondait de moins en moins à l'image qu'elle se faisait de son grand-père. Quand elle était toute petite, on lui avait offert le Papy Kiki, la version « papy » du Kiki, ce petit singe en peluche qui avait fait un malheur dans les années 80. Le Papy Kiki était tout gris, avec des lunettes, un costume trois pièces et des charentaises. Depuis lors, elle voyait son grand-père comme un Papy Kiki, figé dans sa boîte d'emballage, à qui on envoie des cartes de vœux par habitude et par politesse. Et voilà qu'à quatre-vingt-trois ans, il sortait de sa boîte ! Papy Kiki dansant sur *Saturday Night Fever* ? L'image la fit sourire.

Adèle était heureuse de recevoir ces textos. Cela la distrayait de l'ennui du tournage. Elle leva la tête et se rendit compte qu'Alex, le stagiaire coiffeur australien, la regardait. Il était grand et maigre, probablement gay. Comme beaucoup d'Australiens de sa connaissance, il était relax et souriant, amateur de sorties nocturnes. Il devait se demander pourquoi elle souriait de toutes ses dents au milieu de ces gens qui s'ennuyaient à mourir.

Adèle chuchota :

« J'ai reçu un texto de mon grand-père, quatre-vingt-trois ans. Il est grosso modo en train de se siffler cidre sur cidre dans une crêperie bretonne. Si ça se trouve, à l'heure qu'il est, il est en train de danser sur les tables.

– Eh ben, dis donc, il est en forme ton grand-père !

– Ben non, même pas, c'est ça le pire. Il est tout cassé de partout, paraît-il. Enfin, c'est pas le plus drôle. Ça fait vingt ans qu'il prend racine dans ses charentaises, et là, il a décidé de faire le Tour de France.

– Le Tour de France ? À vélo ?

– Non, en Renault Scénic, mais bon, quand même... »

Adèle lui raconta brièvement l'histoire, avec une certaine fierté. Ils continuèrent à chuchoter et à rire tout bas jusqu'à ce que le gros de l'équipe de tournage sorte du grand salon, plus de deux heures après. Ils parlèrent de leurs espoirs déçus, de l'attente interminable, de l'impossibilité de se faire des amis, du cynisme du milieu – mais aussi de projets futurs, d'aïeux excentriques, de vacances en Bretagne et de pays lointains. Il y eut même un peu de ragots, mais Adèle s'en amusa. C'était la première fois, depuis ses conversations des premiers jours avec Irving Ferns, qu'elle s'ouvrait à quelqu'un sur le tournage. Et même si elle ne reverrait plus jamais Alex, ce n'était pas si désagréable.

❖

Quand Georges rentra dans sa chambre à l'hôtel du Centre, elle n'était plus jaune pipi et gris béton comme la veille, elle était jaune soleil et gris souris, mais une jolie souris. Elle n'était plus anonyme, mais bienveillante. Au-delà de la fenêtre en plastique, la nuit lui parlait d'avenir, de choses qui avaient sommeillé longtemps mais qui se réveillaient, et se révélaient infiniment gaies. La source de cette liesse inattendue était entre autres le souvenir d'un petit bébé à la maternité, vingt-trois ans plus tôt, et celui de la joie d'être grand-père pour la première fois. Mais une tripotée d'autres choses le rendaient heureux à ce moment précis, assis sur son lit.

Georges était athée, et à l'occasion anticlérical, depuis ses cours de catéchisme avec le père François, il y avait de ça environ soixante-dix ans. Alors comment expliquer son envie soudaine de remercier quelqu'un, qui ne serait pas quelqu'un ? Quelqu'un qui le comprendrait et qui saurait d'où il venait, quelqu'un qui ferait la pluie et le beau temps et commanderait ses douleurs et les évènements qui le touchaient. Toute sa vie il avait évité les églises ; il n'était pas le genre à demander ci et ça à Dieu le père. Le maître à bord, c'était lui, ou à la limite Arlette, mais dans la famille, on ne demandait rien à qui que ce soit, ni au père, ni au fils, ni au Saint-Esprit (même si ça arrivait à Arlette, il le savait bien, de le faire en cachette, surtout à la fin). Et après tout, il n'avait pas vécu une vie plus moche que les autres, au contraire. Et pourtant, dans des moments comme ça, c'était tentant d'être reconnaissant envers quelqu'un d'autre que sa vieille carcasse, qui, pensait-il à tort, n'y était pour pas grand-chose. Il était content et reconnaissant. Il fallait bien l'avouer, c'était plus facile et plus gai de remercier les anges, et c'est exactement ce qu'il fit, ces anges auxquels il n'avait jamais cru mais qui ce soir existeraient juste pour partager une félicité toute neuve.

Le lendemain matin, il cuvait sa félicité.

Lundi 29 septembre

Brest (Finistère) – Guéméné-sur-Scoff (Morbihan)

Georges et Charles se retrouvèrent dans la salle du petit déjeuner de l'hôtel. En gros, ils avaient la gueule de bois. Charles gémissait et se plaignait, tandis que Georges se donnait un mal de chien pour cacher son affliction. Autour du buffet, l'odeur appétissante des viennoiseries était mélangée aux effluves des gels douche boisés des messieurs et des parfums trop lourds des dames. On allait au buffet comme on montait sur scène, en murmurant « Messieurs-dames » timidement, en se tenant droit, et en faisant bien attention à ses manières : couper le fromage sans faire de saletés, ne pas avoir l'air goulu en remplissant trop son assiette, malgré l'envie de tout goûter et l'attrait du buffet « à volonté »... Georges et Charles, eux, ne se posaient pas ce genre de questions, surtout en l'absence de leurs femmes, et se servirent généreusement de pain et de fromage – qui avaient l'air en plastique, certes, mais qui les caleraient bien.

Une fois qu'ils eurent englouti leur petit déjeuner, Charles lança :

« Ah bé dame, je pensais pas qu'on le ferait, Georges. Et voilà. On y est. Étape 1 du Tour de France. Et dire que j'ai une putain de gueule de bois ! Ça non plus, je pensais pas.

– On ferait peut-être bien d'attendre après le déjeuner pour prendre la route, suggéra Georges doucement.

– Ah pas question ! Ça fait quarante ans que j'attends *après le déjeuner* pour le faire, ce putain de tour. Allez, on y va ! »

Le premier matin de ce Tour de France était frais mais superbe. Le soleil illuminait une Bretagne qui s'annonçait, à en juger les photographies des guides de Charles, sauvage et mystérieuse.

Georges et Charles s'accordèrent la liberté de faire quelques détours, histoire de voir du pays et d'avoir des choses à raconter sur les cartes postales.

Le rythme de l'épopée était pris : on flânerait. Ils découvrirent donc en ce premier jour la douceur de la presqu'île de Plougastel, avec ses chapelles en pierre grise et son calvaire monumental, L'Auberlac'h, minuscule port coquillier avec ses petits bateaux bleus, qui dégageait un tel charme que Georges se sentit devenir poète. Certes, il était un peu tôt pour envoyer le texto du soir, vu qu'on n'avait même pas encore pris le casse-croûte de midi, mais il n'y avait rien de mal à rassurer Adèle le matin aussi. Au cas où un doute aurait surgi dans son esprit pendant la nuit. Georges sortit donc son téléphone portable, et écrivit :

Ns som à l'Auberlac'h, FinistR, bo port avec bato bleus.

(Nous sommes à l'Auberlac'h, Finistère, beau port avec bateaux bleus.)

Il hésita à mettre le *s* à « bleu », mais Adèle risquait de croire qu'il n'y avait qu'un seul bateau… La réponse arriva presque immédiatement :

OK, bn Tour.

(OK, bon Tour.)

Georges trouvait vraiment beaucoup de charme à ce petit port.

❖

Au cours de cette étape, on ne parla pas beaucoup du Tour. Georges tenta bien de lancer un concours, dont le but était d'énumérer les années où la Bretagne s'était illustrée. Une bonne demi-heure s'écoula avant que Georges se rende compte qu'il gagnait haut la main et que Charles n'intervenait qu'avec des « ah », « ah ça, c'est bien vrai ». Georges, pourtant, s'était surpassé : il avait invoqué Jean-Marie Goasmat, « Le Farfadet », Alfred Le Bars et son Morlaix-Paris, le « Bouledogue du Morbihan », Le Guilly, Malléjac, l'ouvrier de Brest maillot jaune 53, et bien sûr Georges Gilles (ah ce Georges Gilles, le « van Steenbergen breton »), « La Pipe » et son vélo Mercier, les frères Groussard, « Jo Talbot », la tignasse de Ronan Pensec (bien un gars d'ici, avec un nom comme ça), et cætera. Georges reprocha à Charles son manque d'entrain, mais celui-ci répliqua qu'il se concentrait sur la conduite et qu'on ne pouvait pas faire deux choses à la fois. On n'en parla donc plus.

La campagne qu'ils traversaient était splendide. Les chemins vallonnés d'un vert resplendissant, les chapelles grises, les petits ports blottis au fond de baies désertes et, au détour de routes étroites bordées de fougères, les vues grandioses sur la rade de Brest. Des panneaux le long de la route leur rappelèrent qu'ils traversaient le parc naturel régional d'Armorique et indiquaient des alignements mégalithiques.

L'Armorique, les menhirs… Cela évoquait des souvenirs à Georges, qui lisait à Adèle les aventures d'Astérix quand elle était petite.

Lorsque la route traversait des forêts profondes, on avait l'impression étrange d'être entre le jour et la nuit. Et si on s'aventurait à regarder loin, loin au-delà des arbres, on verrait sûrement quelque chose, un quelque chose tout droit sorti d'un conte. Tout était sauvage, accidenté et mystérieux. On passait d'un paysage rocailleux à des landes violettes, puis à des chemins creux, et plus loin encore à des tourbières désertiques.

Ce n'était pas l'heure de déjeuner, mais Charles voulut s'arrêter au Faou. Georges pensa naïvement qu'il était intéressé par les maisons anciennes, le joli port et ses vasières. Point du tout, Charles continua son chemin pour s'arrêter devant une ferme couverte de glycines, juste à la sortie du bourg. Apparemment, on y vendait le meilleur cidre de la région. Georges, qui avait encore un peu la nausée, demanda si c'était bien nécessaire – question rhétorique – et resta dans la voiture. Charles et le propriétaire revinrent avec deux caisses, qu'ils déposèrent dans le coffre suffisamment spacieux de la Scénic.

On approchait du premier déjeuner officiel du tour. Georges saisit le guide touristique dans la boîte à gants et commença à lire :

« Alors. Les Montagnes Noires. Voyons voir. Nin nin nin nin soixante kilomètres nin nin nin Menez Hom nin nin nin nin nin nin forêts denses nin nin nin nin schiste nin nin nin nin nin trois cents millions d'années nin nin nin nin nin nin charme secret nin nin nin nin nin nin ardoisières nin nin nin nin nin. Bon. Enfin tout ça, ça nous dit pas où on va bouffer.

– Regarde à Châteauneuf-du-Faou, on y arrive… », lui conseilla Charles.

Chateauneuf-du-Faou était un joli bourg niché sur une colline des Montagnes noires. Les voyageurs trouvèrent une aire de pique-nique au domaine de Trévarez, un des plus jolis parcs de Bretagne. Ils sortirent de la voiture le nécessaire à pique-nique, la cagette de tomates et les provisions qu'ils avaient achetées dans une supérette de Brest. Chacun sortit son vieil Opinel. Les ruines du château, les méandres verdoyants de l'eau vive et la douceur environnante inspirèrent un autre texto à Georges, qui hésita un peu avant de l'envoyer. Il ne fallait pas en faire trop… mais bon, les textos ne dérangent jamais et n'appellent pas forcément de réponse. Même si Georges prenait grand plaisir à lire celles d'Adèle.

Som à Châteauneuf-du-Faou, joli vilaj, picnic avc cidr breton.

(Sommes à Châteauneuf-du-Faou, joli village, pique-nique avec cidre breton.)

Ils repartirent alors que des nuages noirs se précipitaient à l'horizon. Charles, d'habitude si consciencieux, voire maniaque, surprit Georges en laissant les restes de son repas sur la pelouse immaculée. Alors qu'il s'installait tranquillement dans la voiture, Georges ramassa ses ordures en bougonnant ; c'était quand même quelque chose, même après trente ans, on ne connaissait jamais vraiment ses voisins.

À Guémené, ils dînèrent dans un petit restaurant qui proposait des spécialités régionales. Mais les épreuves du Tour – et les âneries de la veille au soir – les avaient épuisés. Ils s'endormaient sur le kir qu'ils avaient commandé, plus par devoir que par plaisir, pour célébrer l'occasion. Les blagues sur Guémené, patrie de l'andouille, s'essoufflèrent rapidement et à 21 h 30, les deux compères étaient en pyjama à rayures dans leurs chambres respectives, dans un gîte que Charles avait réservé sur internet. Georges envoya un dernier texto à Adèle ; il s'aperçut qu'andouille, comme tartine, était difficilement traduisible en texto. Et comme son médecin lui avait formellement interdit la charcuterie, il décida d'omettre ce détail de sa correspondance.

Som à Guémené-sur-Scoff, charman gite, bel façad. Resto spcialté régional, pr finir longue journé. 1re étap tour dnc kir Kssi pr fété ça. 2m1, Plumelec, Djeuné à Guern. Bon nui AdL.

> (Sommes à Guéméné-sur-Scoff, charmant gîte, belle façade. Restaurant spécialités régionales pour finir longue journée. Première étape donc kir cassis pour fêter ça. Demain, Plumelec, déjeuner à Guern. Bonne nuit Adèle.)

Il l'envoya juste avant d'éteindre la lampe de chevet vers 22 heures, et s'endormit aussitôt. À part l'arrêt pipi obligatoire de 4 heures du matin, la nuit fut longue et sereine. Ce qui tombait bien, car des événements pour le moins inattendus viendraient troubler les prochaines.

Mardi 30 septembre

Guéméné-sur-Scoff – Plumelec (Morbihan)

La deuxième partie de cette première étape du Tour fut tout aussi agréable, intéressante et éreintante. Ils s'arrêtèrent pour pique-niquer d'andouille et de cidre près du cimetière de Guern, à côté de la fontaine du village, dont la musique et le charme inspirèrent un nouveau texto de Georges à Adèle, qui resta lui aussi sans réponse, mais Georges avait bien compris que sa petite-fille était très occupée.

Ils gagnèrent ensuite Plumelec, où un gîte plein de charme les attendait. Cette fois, Charles et Georges auraient à partager leur chambre, meublée de lits jumeaux qui avaient chacun un dessus-de-lit en crochet blanc et un coussin en tricot jaune brodé de fleurs.

Pour le dîner, ils optèrent pour une pizza à emporter, comme les jeunes, achetée au pizzaiolo qui garait son camion tous les mardis sur la place de l'église. Charles, qui avait été chargé de la commande, choisit une pizza pour deux, car ils n'avaient pas très faim – manque d'appétit dû sans doute à la consommation excessive d'andouille plus tôt dans l'après-midi. Quand il fut question de choisir les garnitures, le pizzaiolo commença à regretter la jeunesse. Charles ne *garnit* pas vraiment sa pizza, il *entassa*. La plupart des garnitures disponibles dans le fourgon se retrouvèrent sur la pauvre pizza, qui croulait sous le poids. Il fallut la mettre dans un carton supplémentaire car tout débordait. Le pizzaiolo s'en souviendrait, de ces deux papys. Georges et Charles quant à eux se régalèrent.

Avant de se mettre au lit, Georges envoya un dernier texto à Adèle.

Som à Plumelec, o lieu de la chouaneri. Pizza pr diné, Charl t'embrass, moi ossi. Bon nuit adL.

> (Sommes à Plumelec, haut lieu de la chouannerie. Pizza pour dîner, Charles t'embrasse, moi aussi. Bonne nuit, Adèle.)

Charles, calé sur le coussin couleur tournesol et armé de son crayon de bois taillé à l'Opinel, était concentré sur son *Sudoku Spécial Vacances*, ce qui impressionnait grandement Georges, tellement fatigué qu'il n'avait pas le courage de prendre son livre. Ils commencèrent à discuter le bout de gras, et continuèrent leur conversation dans le noir, comme les gamins qu'ils avaient été dans les dortoirs des pensions, avant de sombrer dans un sommeil profond.

Et ni lui ni Charles ne se réveillèrent quand le téléphone joua la petite musique de réception de texto, peu avant 23 heures. Un texto qui n'était pas d'Adèle.

❖

Adèle, pendant ce temps-là, finissait, à 21 heures, une dure journée qui avait commencé à 6 heures le matin. Elle n'avait pas eu le temps de répondre au dernier texto de son grand-père, car une très mauvaise nouvelle venait de tomber, qui plomba le moral de l'équipe et mit l'organisation du tournage sens dessus dessous. Son agent avait appelé le producteur en fin d'après-midi : Irving Ferns était mort. L'acteur qui jouait Aristide Leonides, le grand-père assassiné, était décédé dans la nuit, à l'âge de quatre-vingt-un ans. Les responsables de la production s'arrachaient les cheveux, car si on avait déjà tourné la scène du début avec lui, il devait réapparaître dans un flash-back qui serait tourné la semaine suivante. Il fallait donc non seulement trouver un remplaçant pour les scènes à venir, mais également retourner les scènes déjà filmées. Pour la directrice de production, c'était une catastrophe : pas de budget, bla bla bla, revoir toute l'organisation pour des histoires de décors, bla bla bla, costumes sur mesure, bla bla bla, raccords moustache, bla bla bla... Pour Adèle comme pour une grande partie de l'équipe, cela signifiait quelques jours de tournage de plus. Elle qui avait prévu de se la couler douce le jour de son anniversaire... C'était fichu ! Mais surtout, la mort de l'acteur la rendait infiniment triste.

Elle fut la dernière à rassembler ses affaires dans la maison biscornue. La maison était un peu effrayante quand elle était vide, toute en bois foncé, avec un parquet qui grinçait. Elle devait fermer la grande porte à clef et remettre celle-ci au gardien de nuit plus loin dans la rue. Elle ne pouvait s'empêcher de penser à Irving Ferns. Enverrait-elle des fleurs ? Elle ne l'avait connu que deux jours, mais elle était choquée par sa mort. Elle avait senti qu'il était seul et qu'il aurait voulu parler davantage, partager. Mais Adèle n'avait pas voulu partager. Après tout, il avait été la raison pour laquelle elle avait téléphoné à son grand-père, pour la première fois depuis des années. Contrairement à ce que son papy semblait croire, sa mère ne lui avait jamais rien demandé. Irving Ferns, lui, si.

Elle regarda son téléphone portable. Elle avait reçu tant de textos de son grand-père ! Au moins cinq par jour. Il lui racontait son périple, les villages dans lesquels il passait, les paysages qu'il voyait. Il envoyait bien plus que le rapport demandé : c'était un véritable récit de voyage. Elle lisait ses textos comme les carnets d'un explorateur étranger. Elle s'évadait un peu grâce à lui.

Mais la mort d'Irving Ferns lui montrait ces petits messages journaliers pour ce qu'ils étaient vraiment. Ils n'étaient pas un journal de voyage, d'auteur à lectrice, écrit uniquement pour son petit plaisir. Ils étaient une invitation au dialogue, de grand-père lointain à petite-fille absente. Adèle avait jusqu'à maintenant, sans le savoir, refusé cette invitation. Et c'était vraisemblablement la dernière.

Elle relut tous les textos, qui lui apparurent sous une autre lumière, plus pâle, plus mélancolique. Parce qu'ils étaient restés pour la plupart sans réponse, les textos de son grand-père révélaient une tristesse qu'elle n'avait pas remarquée jusqu'ici. Comme après sa conversation avec le vieil acteur, elle était confrontée à son égoïsme d'adolescente.

Alors, une fois encore, elle décida de rattraper le temps qui passait.

À quelques centaines de kilomètres de là, en Bretagne, Georges était lui aussi parfaitement réveillé. La nuit avait bien commencé, mais sa vessie l'avait réveillé, comme d'habitude, vers 4 heures. C'est à ce moment-là qu'il se rendit compte qu'il avait oublié un élément essentiel dans sa valise : une lampe torche. On n'y voyait goutte dans cette chambre, et il ne voulait pas allumer la lampe de chevet, rapport à Charles. Dans sa grande ingéniosité, il se souvint que le téléphone portable émettait de la lumière quand on appuyait sur les touches. À tâtons, il s'empara donc du portable, le tripota et put ainsi se rendre aux toilettes sans réveiller Charles. Il ne remarqua pas vraiment les petits bruits qui émanaient du téléphone, comme des sonneries lointaines. Ça devait venir de la plomberie. C'est seulement quand il reposa le téléphone encore allumé sur sa table de chevet avant de se remettre sous les draps qu'il entendit : « Allô ? Allô, Georges ? » Georges s'empara de son téléphone, y vit « Ginette Bruneau » sur l'écran et fut saisi d'effroi. Il venait visiblement de la réveiller. Désamparé, il appuya frénétiquement sur les touches, et enfin la voix se tut. Il fut d'abord soulagé, puis pris de panique : s'il savait que c'était Ginette qui appelait, alors Ginette devait savoir que c'était lui qui lui avait raccroché au nez en plein milieu de la nuit. Ça ne faisait pas un pli, elle allait s'inquiéter. Comment cette saloperie de portable avait-elle pu trouver le numéro de Ginette dans le répertoire ? Saloperie de saloperie de machine.

Il fila dans la salle de bains pour rappeler Ginette et la rassurer, mais avant de composer le numéro, il découvrit qu'il avait reçu un texto. De Ginette.

Ginette Bruneau 30/09/2008 22:49
Cher Georges, je pense à vous sur la route du tour. J'ai gagné un gros bégonia au concours de danse avec le charleston, il faut bien s'amuser. Peut-être un jour viendras-tu au bal de la Détente. J'espère que tout va bien, avec toute mon amitié, Ginette.

Georges ne la rappela pas. C'était une situation extrêmement délicate. Il fallait réfléchir, ne pas se hâter. Et surtout, ne pas en toucher mot à Charles. Il fallait dire que même s'il avait été envoyé à une heure tout à fait catholique, le texto de Ginette encourageait les cachotteries.

Mercredi 1er octobre

Plumelec – Auray (Morbihan)

Le lendemain, une fois n'était pas coutume, ils firent la route sans s'arrêter. Ils arrivèrent à destination avant le déjeuner. L'hôtel, qui se trouvait juste à la sortie d'Auray, dans une clairière, était superbe. C'était un endroit raffiné sans être prétentieux, au service discret, décoré d'antiquités et aux sols couverts d'une épaisse moquette. Du jardin d'hiver, on pouvait voir la pluie malmener les grands arbres du parc. Leur déjeuner fut exquis. C'était le plus bel endroit dans lequel ils séjournaient depuis leur départ.

Georges avait une folle envie de souffler un peu, de se laisser tomber dans ces grands fauteuils en osier qui invitaient au repos et à la méditation, mais Charles fut intraitable. On avait libéré l'après-midi pour visiter le site mondialement connu de Carnac. Charles avait annoncé la couleur dès le début du Tour : ce qu'il voulait voir en priorité en Bretagne, c'était Carnac, et puis le musée Louison-Bobet, pas loin derrière. Pluie ou pas pluie, Charles était déterminé. Georges aussi, bien sûr, voulait voir les alignements mégalithiques. Mais avec toute cette pluie, rien que d'y penser il avait mal aux rhumatismes. Finalement, la détermination de Charles eut raison des rhumatismes de Georges, qui enfila le chandail en polaire rouge que Françoise lui avait offert. Ils reprirent la Scénic et arrivèrent dans la commune de Carnac.

De la voiture, ils pouvaient voir certains alignements, mais il fallait bien entendu marcher beaucoup plus loin pour prendre toute la mesure des trois mille menhirs, des dolmens et des tumulus dont Charles avait tant entendu parler. Mais la pluie battante s'était transformée en un déluge interminable, et il était hors de question de mettre le nez dehors. Alors ils attendirent sur le parking de la mairie, et attendirent encore, au moins une heure, mais l'eau inondait toujours leur pare-brise. Georges dut se mordre la langue pour ne pas parler de Ginette. Et à force de se mordre la langue, il s'endormit. Au bout d'un long moment, Charles secoua Georges et proposa qu'ils aillent visiter le musée de la Préhistoire à la place. Ils le voyaient d'ici, la grande bâtisse classique aux pierres blanches, avec un élégant portail et un palmier dans la cour, qui se pliait sous la tempête.

Les musées avaient toujours ennuyé Georges. Non pas qu'il ne s'intéressât pas à la culture ou à l'histoire. Doté d'une mémoire exceptionnelle, il possédait une culture générale assez remarquable. Mais il y avait quelque chose de profondément, fondamentalement soporifique dans ces musées. Traîner les pieds le long de couloirs mal éclairés, se coller le front sur les vitrines pour lire des étiquettes lilliputiennes l'ennuyaient au plus haut degré. La première chose qu'il fit, comme chaque fois, fut de s'asseoir sur un banc. Il y avait toujours des bancs dans les musées, et il y avait toujours des vieux dessus, comme des piafs sur des fils électriques. Il y avait aussi toujours des jeunes en grappes, qui traînaient leurs baskets et parlaient fort. Georges se mit à les observer. Il savait bien qu'ils trouvaient ça pathétique, ces jeunes morveux en visite de classe, qui n'y pigeaient d'ailleurs que dalle à la préhistoire, ces vieux sur ces bancs qui ne faisaient rien qu'attendre. Mais ce que les jeunes qui ricanaient ne savaient pas, c'est que ce vieux-là, avec sa polaire rouge, il réfléchissait à ce qu'il allait écrire dans le texto pour sa nouvelle meuf. Ah, ça leur en aurait bouché un coin ! Georges rigola tout seul sur son banc.

Charles revint satisfait de sa visite et acheta au moins cinq livres sur les alignements. Georges demanda à la dame à la caisse s'il pouvait espérer trouver une lampe torche dans sa boutique, mais elle lui répondit gentiment que non, étonnamment, le musée de la Préhistoire ne proposait pas cet article. Ils regagnèrent leur hôtel où, enfin, Georges put s'affaler dans les fauteuils en osier.

Jeudi 2 octobre

Auray (Morbihan) – Mûr-de-Bretagne (Côtes-d'Armor)

Le moment où Charles reçut la note de l'hôtel fut comme qui dirait un moment difficile. Rarement la douloureuse n'avait aussi bien porté son nom. Ce qu'il avait pensé être le total du séjour lors de la réservation était en fait le prix par personne, sans le petit déjeuner. Avec les taxes et autres extras et les deux déjeuners, le total était vertigineux, et il fut affreusement embêté au moment de payer. Ou plutôt, au moment de demander à Georges de payer, car Georges était l'unique sponsor du Tour, et s'il avait été d'une générosité sans pareille pour les grandes lignes du budget, pour tout ce qui était considéré comme « extras », c'était plutôt un frileux du portefeuille. Par miracle, il était ce matin-là d'excellente disposition et paya la note rubis sur l'ongle. Avec en prime un grand sourire au réceptionniste.

Il faut dire qu'il avait eu la charmante surprise de découvrir un texto d'Adèle sur l'écran de son portable.

Adèle 01/10/2008 22:36
Tjrs voulu alé à Carnac. Tu me donera nom de lotel, j'iré ptetr 1 jr, on ne sé jamé ! a 2m1.

> (Toujours voulu aller à Carnac. Tu me donneras le nom de l'hôtel, j'irai peut-être un jour, on ne sait jamais ! À demain.)

Si la famille revenait dans l'hôtel, autant sourire au réceptionniste.

Charles était impatient de visiter Auray, où il était venu avec Thérèse bien des années avant. Les touristes de l'été étaient partis, et ce petit coin de Bretagne était aussi beau que dans son souvenir. La ville trônait sur la butte ; en bas, sur la rivière, se trouvait l'ancien port, le Saint-Goustan. Charles et Georges descendirent la rue du Belvédère, avec ses jardins en terrasses et ses maisons médiévales, et arrivèrent sur les rives du Loch. Ils s'arrêtèrent à l'ombre des grands arbres, d'où ils purent savourer une vue imprenable sur le port. On apercevait même la tour de surveillance qui accueillait les navires. Ils marchèrent longtemps, s'essoufflèrent dans les ruelles pentues et sur les larges marches irrégulières qui menaient à l'église, et oublièrent complètement d'acheter une lampe torche pour Georges. Il avait pourtant bien insisté. Enfin, la terrasse d'un restaurant aux fauteuils zébrés et aux murs violets accueillit les visiteurs épuisés. À cette heure-là, ils auraient dû se trouver au moins à Baud, sinon à Pontivy, à soixante kilomètres de là, mais tant pis.

Georges se lança dans l'écriture d'un texto à Adèle. Tel un « troubadour du aissaimaisse » (l'expression était de Charles), il chanta les attraits d'Auray et lui recommanda telle et telle visite pour ses prochaines vacances dans le coin. Quelques passants sourirent à la vue de ce vieux pépé textant frénétiquement à la terrasse d'un restaurant branché.

Adèle répondit peu de temps après ; son tournage se passait bien, mais elle était fatiguée. Georges lut le message à Charles, non sans fierté, et affirma qu'elle travaillait trop. Ils mangèrent comme quatre, en prenant leur temps. Ils rallieraient directement l'hôtel suivait, situé à Mûr-de-Bretagne, à quatre-vingts bornes. Après entrée, plat, dessert, café, pousse-café, ils regagnèrent doucement leur voiture et quittèrent Auray.

Peu après la sortie de la ville, alors que Charles roulait tranquillement, bercé par le doux ronronnement du GPS, Georges hurla soudain :

« Là ! TOURNE ! »

Charles donna un coup de volant malheureux, passa à deux doigts de la charrette fleurie qui trônait au milieu du rond-point, faillit enfoncer la voiture sur sa gauche, rayer celle sur sa droite, aplatir un panneau de signalisation et rentrer dans un Caddie qui traînait sur le bord de la route. Miraculeusement, il y eut plus de peur que de mal, mais au moins trois voitures les klaxonnèrent furieusement. Charles hurla à son tour à Georges :

« Mais bon Dieu, qu'est-ce qui se passe ?

– Auchan ! La lampe torche !

– Quoi ? T'as failli nous faire faire un accident à cause d'une putain de lampe torche ? Ah tu commences à m'agacer avec ta lampe torche ! Ça commence à me courir sur le haricot !

– Mais il me la faut avant ce soir ! Si ça se trouve, c'est le seul hypermarché dans le bled ! »

Georges était à son tour tout retourné : c'était la première fois en trente ans qu'il se faisait enguirlander par son voisin.

« Mais enfin, pourquoi qu'il te la faut là maintenant, ça pouvait pas attendre ?

– Non, ça pouvait pas attendre ! Parce que je te ferais dire que j'en ai ma claque d'appeler ta sœur chaque fois que je vais pisser !

– Mais… ? »

Georges avait claqué la porte de la Scénic et courait déjà vers le centre commercial. Charles, éberlué, resta les deux mains agrippées au volant.

❖

Quand Georges revint, on marchait sur des œufs, comme un jeune couple après sa première dispute. Charles n'eut pas le privilège de recevoir une explication concernant le rapport entre sa sœur, la vessie de son compagnon et la lampe torche, mais prudemment, il préféra ne rien demander.

À 17 heures, ils n'étaient qu'à Baud, à mi-chemin. La Scénic était garée à trois cents mètres de la seule chose qu'il y avait à visiter dans le village, la fontaine de la Clarté, avec son vieux lavoir. Mais la fontaine et le lavoir n'étaient pas destinés à faire partie des glorieux souvenirs du Tour : Charles et Georges dormaient comme des bienheureux dans la voiture. Le repas d'Auray et leur engueulade sur le parking d'Auchan avaient eu raison d'eux.

Ils se remirent en route tard dans l'après-midi et filèrent jusqu'à Mûr-de-Bretagne sans avoir le temps de visiter Pontivy, dont ils purent apercevoir les deux visages en traversant la ville : la partie impériale avec ses lignes géométriques et élégantes, et le cœur médiéval avec ses ruelles tortueuses que bordaient des maisons à pans de bois. Ils passèrent le canal rectiligne, et puis ce fut la campagne à nouveau, et le soleil couchant.

Juste avant d'arriver à Mûr-de-Bretagne, ils s'arrêtèrent dans une station-service. Georges acheta une pile pour sa lampe torche dans la boutique – c'était une honte de ne pas les fournir, en plus il en avait des neuves à la maison. Lorsqu'il sortit de la boutique, Georges vit que quelque chose ne tournait pas rond. Charles était exactement là où il l'avait laissé cinq minutes avant, à regarder la pompe à essence, sans bouger.

« Ben alors, tu l'as fait, le plein ? »

Charles répondit que non. Il regarda Georges avec un air complètement abruti et retourna dans la voiture. Georges, agacé, s'empara de la pompe et remplit le réservoir. Pas un mot ne fut échangé jusqu'à l'arrivée au gîte.

C'était une grande maison typique de la région, en pierre, que Georges décrirait plus tard dans la soirée dans son texto à Adèle : une lucarne qui émergeait du toit d'ardoise à la pente vertigineuse, trois murs sans fenêtres, seulement percés de petites ouvertures, une cheminée à chaque pignon, un escalier de pierre à l'extérieur, avec ses marches usées, et dans la cour, au milieu des rosiers, un four à pain recouvert de terre.

Ils soupèrent dans la grande pièce principale puis se retirèrent dans la chambre qu'ils partageaient. Chacun savait que la proximité des lits encouragerait les confidences, et qu'il faudrait bien un jour reparler de cette histoire de lampe torche et de Ginette.

Alors qu'ils allaient éteindre leur lampe de chevet, Charles le premier rompit ce silence qui devenait pesant.

« Bon, Georges, tu sais, à propos de ma sœur, là…

– Ah oui, au fait, ta sœur, je n'y pensais plus.

– Je veux dire… tu l'as achetée pour quoi encore, ta lampe torche ? »

Georges lui raconta sommairement l'épisode à Guémené, puis lui lut le texto de Ginette.

« C'est tout ? demanda Charles.

– Bah oui, c'est tout.

– Ah bon, mais alors ça va. Parce que je t'avoue que la manière que tu l'as dit à Auchan, euh, je savais pas trop comment prendre la chose.

– C'est sorti comme ça, j'étais sous le choc, on venait d'avoir un accident, ou presque.

– Je veux mon n'veu, et à qui la faute ! Enfin bon, passons. Donc tu vas y répondre quoi à la Ginette ?

– Chais pas. Ça fait deux jours que je tourne ça dans ma tête, mais je sais pas quoi lui répondre.

– Tu veux mon avis ?

– Oui, mentit Georges.

– Réponds-y quand t'as quelque chose à lui dire. » Il fit une pause pour l'emphase et reprit :

« Crois-en mon expérience. Parler avec les bonnes femmes quand la vérité vraie c'est qu'on n'a rien à leur dire, ça n'amène jamais rien de bon. Et je dis pas ça parce que c'est ma frangine.

– Tu sais que c'est loin d'être faux comme raisonnement, fit Georges, véritablement impressionné.

– Bah tiens.

– Bon, mais elle ne va pas être offusquée ?

– Oh la ! s'écria Charles. Tu m'en demandes trop. Après, la psychologie, c'est pas mon rayon. »

Cette question réglée, l'atmosphère s'allégea nettement. Charles sortit son sudoku et Georges se mit à texter la description de la maison pour Adèle. Il reçut une réponse quelques minutes plus tard.

Adèle 02/10/2008 22:46
Kel chance, jémeré êtr en bretagn pluto ka londr. on tourn la maison biscornue d'Agatha Christie, ds 1 méson tré biscornu, vieil é sombr. en + tré mov18 tan ici. viv la bretagn !

(Quelle chance, j'aimerais être en Bretagne plutôt qu'à Londres. On tourne La Maison biscornue d'Agatha Christie, dans une maison très biscornue, vieille et sombre. En plus, très mauvais temps ici. Vive la Bretagne !)

Georges sourit et nota qu'il devrait s'acheter ce livre le lendemain. Il avait hâte d'y être, comme quand il était jeune.

Vendredi 3 octobre

Mûr-de-Bretagne – Saint-Brieuc (Côtes-d'Armor)

Quand Georges se réveilla, Charles était déjà levé et finissait de s'habiller. Il était à peine 8 heures ; Georges lui demanda ce qu'il fabriquait.

« Je pensais aller au marché. J'ai parlé à la dame du gîte hier. Y a un petit marché dans le village avec des petits producteurs. Cidre fermier, foie gras, chèvre, tout ce qu'il faut. À ce qu'il paraît, il faut pas le louper. Bon, toi tu préfères rester au lit ou tu viens au…

– Oh non, je vais te laisser y aller, va. J'ai le dos en compote, il est trop mou, ce lit. »

En vérité, le lit était bon, et ses douleurs, ma foi, le laissaient tranquille. Mais Georges voulait souffler un brin. C'était vraiment épuisant ce Tour. Aujourd'hui, il ferait la grasse matinée.

C'était sans compter l'énergie apparemment inépuisable de Charles. À peine rentré du marché, il voulut remonter en selle pour aller visiter le barrage hydroélectrique de Guerlédan, à deux pas. Georges, qui avait à peine fini son petit déjeuner, traîna les pieds jusque-là, mais le beau paysage baigné par le soleil d'automne raviva son entrain. On aurait dit la Suisse, ces vallées et ces crêtes escarpées couvertes de bois et sillonnées de pistes de randonnée. Le barrage avait créé un lac magnifique au beau milieu de la forêt. Charles et Georges pique-niquèrent d'un festin de gourmets à l'ombre des ruines de l'abbaye de Bon-Repos, et Georges, encore une fois inspiré par la beauté environnante, envoya un long texto à Adèle.

Dans l'après-midi, ils suivirent l'itinéraire du Tour – Corlay, avec ses belles maisons anciennes, Chatelaudren, sur la rivière Leff, Plérin, avec ses plages et ses petites criques de sable fin au pied des falaises – et arrivèrent à l'hôtel Regina de Saint-Brieuc avant le début de la soirée.

De la baie, Georges écrivit à Adèle :

Baie 2 St Brieu : plaj sublim, réserv naturL, pélsaj superb, falez époustouflantes, dé peti por ds lé roché. St brieu, bcp 2 petites ruL pleine 2 charm, mésons anciN, bo magasins. Ce soir diné 2 moul. Souvi1-toi di paC qd tu viendra en Bretagn. 2m1 j'achètrai livr agata kristi pr savoir la fin du film ! biz.

(Baie de Saint-Brieuc : plage sublime, réserve naturelle, paysages superbes, falaises époustouflantes, des petits ports dans les rochers. Saint-Brieuc, beaucoup de petites ruelles pleines de charme, maisons anciennes, beaux magasins. Ce soir dîner de moules. Souviens-toi d'y passer quand tu viendras en Bretagne. Demain j'achèterai le livre d'Agatha Christie pour savoir la fin du film ! Bises.)

Adèle répondit :

Fin du film acé facil à deviné. Dimoi ce ke tu pense du livr. Je croi : ps le méyeur d'AC. PréfR 10 peti nègr.

(Fin du film facile à deviner. Dis-moi ce que tu penses du livre. Je crois : pas le meilleur d'AC. Préfère Dix Petits Nègres.)

Quand le soir fut arrivé, Georges ne put s'empêcher de répondre :

PréfR classic : crim orien Xpress. Jé at de lir méson biscornu. St brieu hotel trist, ke D amérikin, bruyan. Bonn nui.

(Préfère classique : Le Crime de l'Orient-Express. J'ai hâte de lire La Maison Biscornue. Saint-Brieuc, hôtel triste, que des Américains, bruyant. Bonne nuit.)

Samedi 4 octobre

Saint-Brieuc (Côtes-d'Armor) – Saint-Malo (Ille-et-Vilaine)

Le lendemain matin, Georges était d'humeur massacrante. Il commença par se plaindre de sa chambre, puis de cette salle de petit déjeuner, trop froide, trop vaste et trop silencieuse. Georges se rappelait les petits déjeuners pris en famille, à l'époque où ils se réunissaient encore souvent, avec Arlette, Françoise, son mari et la petite Adèle. Ça sentait le pain grillé et le café, et on parlait très fort, déjà. Mais même chez lui, tout seul, le petit déjeuner était sonore : le bruit de la machine à café, le poêle qu'on allume, les infos à la radio, le grille-pain qui saute. Ici on chuchotait, et on devenait tout rouge si on faisait du bruit par mégarde.

Georges trouvait cette pièce déprimante aussi parce qu'on avait allumé les lumières à 8 heures du matin. De gros nuages noirs filaient dans le ciel gris. Les rues de Saint-Brieuc étaient presque inquiétantes. On s'était habitué au soleil et à la douceur de ce début d'octobre, mais voilà que l'hiver arrivait, et du coup réveillait ses douleurs.

« Ça se gâte.

– Moui, répondit Charles qui sirotait le thé vert qu'il apportait lui-même à la table du petit déjeuner tous les matins.

– Tu le sens pas ? Moi j'ai mes douleurs qui me reprennent, c'est pas bon.

– Mais si, mais si, ça va s'arranger. Le temps change vite en Bretagne, tu sais. Le matin, il fait un temps de chien, l'après-midi, tu cuis sur la plage.

– Mmm », fit Georges, pas convaincu.

Oui, il aurait bien fait une petite pause, mais Charles ne négociait pas. On avait toute la Côte d'Émeraude à faire jusqu'à Saint-Malo.

« Tu verras, c'est magnifique, et ça fera des beaux textos à Adèle. »

Une heure plus tard, ils étaient en route.

Saint-Brieuc-Saint-Malo ne faisait pas partie du Tour, c'était une étape « entre ». Ce fut pourtant leur préférée. Une fois de plus, Georges et Charles regrettèrent de ne pouvoir rester davantage, malgré le vent et les nuages menaçants. Mais ici comme nulle part ailleurs, le mauvais temps séduisait les visiteurs. Il révélait le mystère de la région, ses caprices et son caractère. Il révélait sa trempe.

Les deux aventuriers étaient à peine arrivés à Erquy, à quarante kilomètres de Saint-Brieuc, que Georges avait déjà envoyé deux textos à Adèle.

À marée haute, ils marchèrent sur les plages du cap d'Erquy, en passant les dunes qui dansaient dans le vent et la lande grise. Ils avaient sorti les polaires et les blousons, et agrippaient leurs casquettes à chaque rafale. Le bruit des vagues, l'iode, le sable, les nuages qui filaient, les cris d'enfants qui couraient autour de leurs parents – tout n'était que tourbillon et oxygène, tout vivait. Ils avaient l'impression d'être purifiés par cet air fou qui venait de loin. Il faisait quand même un froid de canard, et finalement, les deux compères se pressèrent vers un restaurant qui donnait sur la plage de la Braie.

Une fois qu'ils furent attablés, Charles, qui se frottait toujours les mains pour les réchauffer, dit à Georges en montrant la plage :

« Regarde-moi ça, cet hurluberlu. Il est frappadingue, ma parole. »

Georges regarda dans la direction que montrait Charles. Un homme, vêtu en tout et pour tout d'un slip de bain, se dirigeait d'un pas déterminé vers la mer.

« Non ! Il va pas le faire ! fit Georges.

– Et en plus, il m'a pas l'air tout jeunot, le gaillard. J'te parie qu'il a dans les soixante balais. Non, il va pas... Non... Et si ! D'un coup en plus ! »

L'homme avait plongé dans les vagues.

« Sacré nom de Dieu, il est maso ! s'exclama Georges. C'est un coup à s'attraper la mort, ça. Où qu'ils sont les maîtres nageurs, il faut faire quelque chose ! »

Le serveur, qui s'était approché, l'interrompit.

« Oh, vous en faites pas, il fait ça tous les jours. Qu'il pleuve, qu'il vente, qu'il neige. Nous autres, on est habitués.

– Même en plein hiver ? demanda Charles

– Même en plein hiver. Une fois mon collègue, là – bon moi j'étais pas là parce que je prends mon congé en février. Mais mon collègue il l'a vu, par moins cinq ! Moins cinq il faisait ! »

Georges et Charles en restèrent bouche bée.

« Oh, mais nous, ça nous dérange pas. J'vais vous dire, ça fait du spectacle ! Les clients, ils aiment bien ! Bon, qu'est-ce qui vous ferait plaisir ? Des petites Saint-Jacques ?

– Oh, allez, dit Charles, si on mange pas des Saint-Jacques à Erquy, où est-ce qu'on en mangera, hein ?

– Oh et pis, vous serez pas les seuls. Vous allez voir. On est samedi. Le pépé, là, qui se baigne, il va venir. Tous les samedis, il se fait fruits de mer-sancerre. Vous allez voir. »

En effet, après avoir passé presque cinq minutes à nager (l'exploit fut dûment chronométré par Charles), l'homme regagna la large serviette de bain qu'il avait laissée près des vagues, remonta la plage, droit comme un i, et disparut de la vue des deux spectateurs. À peine dix minutes plus tard, l'homme entra dans le restaurant. Georges et Charles le reconnurent à ses cheveux mouillés sous la casquette qu'il enleva en entrant ; il était cette fois très élégamment vêtu d'un pull à col roulé vert bouteille et d'un complet beige. Il se dirigea vers la table qui visiblement l'attendait, proche de celle de Georges et Charles. Ce dernier ne put s'empêcher d'adresser la parole à l'énergumène.

« Dites donc, il faut être solide, pour faire ce que vous faites.

– Non, mon brave, lui répondit l'homme en dépliant sa serviette blanche. Il ne faut pas être solide, il faut être breton. »

Georges se demanda combien de fois les serveurs avaient entendu la réplique. Charles n'insista pas, l'autre avait l'air de quelqu'un qui voulait qu'on le laissât tranquille.

Pendant le déjeuner, Charles et Georges énumérèrent les détails pratiques de la suite du Tour : hôtels, horaires, sites à visiter, logistique… Puis ils se remémorèrent ce qu'ils avaient vu la veille et l'avant-veille, le tout saupoudré de quelques anecdotes du Tour et de souvenirs divers qui n'avaient rien à voir. Au moment du dessert, ce fut au tour de l'homme-poisson de se pencher vers eux.

« Dites, désolé de m'immiscer dans votre conversation, mais... vous faites le tour de la Bretagne ?

– Ah, mon bon monsieur, répondit fièrement Charles, on fait mieux que ça. On fait le Tour de France !

– Mazette !

– Remarquez, on est en voiture, pas en vélo.

– Ah, mais mazette quand même ! Alors, si je puis me permettre, vous passez par où ? »

Charles et Georges lui expliquèrent leur itinéraire, avec une description succincte de ce qu'ils avaient déjà vu. Leur nouvel interlocuteur était impressionné.

« Ah, que j'aurais aimé faire ça !

– Mais pourquoi vous le faites pas ? Visiblement, c'est pas la santé qui vous en empêche.

– Eh ben si, justement. Parce que si j'ai pas ma trempette quotidienne, qui sait ce qui va me tomber dessus. À soixante-seize ans, on ne sait jamais.

– Vous avez soixante-seize ans ? s'exclama Charles. Eh bédame, vous les faites pas, je peux vous le dire. Je voudrais vous dire "comme moi", mais là du coup, j'ai honte...

– Vous nagez vraiment tous les jours ? demanda Georges.

– Tous les jours. Depuis plus de vingt ans.

– Et les jours où il faut vous absenter ? Parce que ça doit vous arriver, tout de même.

– Ah oui, vous voulez dire, les grands événements de la vie, quand je me suis retrouvé loin de ma patrie – j'entends, la Bretagne. Eh bien, dans ces cas-là, s'il n'y pas la Manche, l'Atlantique ou la Méditerranée – enfin quoique, la Méditerranée…

– Oh, la Méditerranée, c'est pas vraiment la mer, interrompit Georges, c'est un peu comme une grande baignoire.

– Ah ça, je suis bien d'accord avec vous. Enfin en tous les cas, si je ne peux pas nager, alors c'est une heure de marche au réveil. Mais pas la marche des escargots, la marche d'homme ! Debout, le front haut.

– Ah bah, le tour de France, ça vous irait, parce que la marche, je vais vous dire, on en fait ! insista Charles.

– Ah ça oui », répondit Georges, un peu las, qui rien que d'y penser avait mal au genou.

Les trois retraités rapprochèrent leurs chaises et commandèrent un café – et un thé vert pour Charles. Le nageur s'appelait Marcel, il était militaire à la retraite et habitait à Erquy avec sa femme, Jacqueline, soixante et onze ans. Tous les samedis, elle allait à un cours d'aquagym dans le centre, alors il en profitait pour aller déguster ses fruits de mer.

« Je sens qu'on s'entendrait bien, vous et moi, déclara Marcel. Je vous félicite, vous avez choisi la vie ! Fin à la dictature du corps qui se ramollit, des docteurs qui nous piquent et du quotidien qui nous enterre. Il faut se *re-bel-ler.* Et le dernier jour, le dernier jour, eh bien, il faut savoir faire sa révérence, dans la dignité.

– Ah ! s'écria Georges, mais il ne finit pas sa phrase et continua de jouer avec les miettes de pain sur la table.

– Moi, j'ai un plan, reprit Marcel. Le jour où je ne pourrai plus me baigner, eh bien j'irai quand même. Je me traînerai jusqu'à la mer, et je nagerai jusqu'à ce qu'on ne me voie plus. Terminé. Et j'ai dit à ma femme, je lui ai dit : "Jacqueline, ce jour-là, que je te prenne pas en train de me repêcher, sinon..." »

Après moult soupirs, Georges glissa :

« Oh, moi, c'est bien pour ça que je l'ai fait, ce Tour... La dernière chance... »

Sa phrase avait éveillé l'intérêt de Charles, mais Marcel l'interrompit.

« Et à nouveau, messieurs, je vous félicite ! Ah ce que j'aimerais le faire avec vous... »

Quand les additions arrivèrent, Marcel offrit de leur payer une petite liqueur, ce qu'ils acceptèrent avec plaisir. Comme chez Ginette, l'eau-de-vie eut sur Georges l'effet d'une cure de jouvence. Il se leva et annonça à l'assemblée, sur un ton décidé :

« Bon, eh bien moi, mes amis, je vais voir si j'ai du sang breton. »

Charles et Marcel le suivirent des yeux sans comprendre.

« Je reviens dans dix minutes. »

Marcel commença à rire. Charles comprit enfin.

« Quoi, tu vas pas me dire que tu vas te baigner...

– Ah, les pieds seulement, corrigea Georges. Je suis débutant. Et pis en plus, j'ai pas de serviette.

– Je peux te prêter la mienne ! s'exclama Marcel. Au fait, on se tutoie, hein... »

Georges fit signe qu'il n'avait pas besoin de serviette et se dirigea vers la plage. Il revint une minute après pour prendre son téléphone portable qu'il avait laissé sur la table, et repartit vers le large.

Charles et Marcel le regardèrent s'éloigner. Il avait enlevé ses chaussures et ses chaussettes, et remonté son pantalon jusqu'au-dessus des genoux. On voyait ses mollets tout maigres qui hésitaient à aller vers les vagues.

Charles, légèrement inquiet, se tourna vers Marcel :

« Tu es sûr qu'il va pas s'attraper une pneumonie, ou une hydrocution, ou chais pas quoi ?

– Ah ça… Moi je l'ai toujours dit : je sais que c'est bon pour moi, l'eau de mer, mais je dis pas que ça marche pour tout le monde. »

La réponse ne rassura pas Charles.

Georges sentit le sable mouillé et froid sous ses pieds blancs. Ça commençait mal. Il s'imaginait quelque chose de plus soyeux, et de plus tiède, surtout. Il savait bien que les deux autres le regardaient, ce n'était pas le moment de flancher. Il regrettait un peu d'avoir fait le mariol. C'était la faute à l'eau-de-vie, ça. Il s'avança au moment du reflux et s'enfonça légèrement dans le sable qui regorgeait d'eau glacée ; mais déjà, la mer recouvrait ses pieds et montait jusqu'à ses chevilles. Ah, elle était froide, la garce. Tellement froide qu'une douleur aiguë remonta jusqu'aux genoux. C'était intenable, mais il ne voulait pas abandonner. Il marcha le long de la plage, juste à côté des vagues, pour s'habituer au froid. Puis il laissa la mer lui lécher les orteils et, petit à petit, s'enfonça un peu plus loin – finalement, au bout de cinquante mètres, il avait de nouveau de l'eau aux chevilles, mais la douleur s'apaisait.

Il avait complètement oublié ses compagnons et leur eau-de-vie de framboise, là-bas sur le front de mer. Il appréciait simplement l'excentricité, l'audace même, de marcher, comme ça, pieds nus dans la mer, un jour froid d'octobre. L'audace. Cela faisait des années qu'il n'avait pas été audacieux. Le glacial du début s'était mué en froid, puis en frais. Il ressentait un étrange bien-être physique, comme s'il avait été purifié, rajeuni. Georges se mit à penser à sa fille unique, Françoise. Il aurait aimé partager cet instant avec elle. Elle aurait peut-être été fière de lui, comme lui l'était un peu de lui-même. Ça l'aurait fait sourire. Non, elle se serait sûrement inquiétée. La Françoise d'aujourd'hui lui aurait dit de rentrer. La Françoise d'il y a vingt ans aurait ri avec lui, lui aurait dit qu'il était fou, mais aurait voulu faire la même chose. Sa fille lui manquait. Quelle ironie : lui qui avait tenu à tout lui cacher, à cet instant il voulait tout partager.

Georges avait été marié cinquante ans à une femme qu'il aimait et respectait. Ce n'est pas à lui qu'on apprendrait que la vie est plus belle quand on la partage. Mais depuis la mort d'Arlette, il ne trouvait plus grand-chose qui valait le coup de partager. Une tisane avec Charles, un chèque aux anniversaires, c'était bien tout. Le temps avait passé, il était devenu vieux, il s'était laissé distancer par tout. Par le monde, par la jeunesse, par l'herbe de son pré, par ses pieds de tomates. Il s'était retrouvé tout seul, loin derrière le peloton, et finalement, il avait fini par se dire que ce n'était pas si mal, qu'il préférait qu'on ne l'emmerde pas. Et voilà qu'il se réveillait un beau jour, les orteils dans la Manche (ou dans l'Atlantique, il n'en était pas trop sûr et n'osait pas demander), et se rendait compte que c'était pas forcément une mauvaise affaire de se faire emmerder. C'était plutôt agréable, même.

Georges continua à marcher le long de la plage. Il se retourna et vit Charles et Marcel, tout petits dans le restaurant ; ils ne se quittaient plus. Cela lui faisait du bien de marcher dans l'eau, d'écouter le bruit des vagues folles, le cri des oiseaux. Du coup, les voix en devenaient sacrément bavardes. Elles lui soufflaient d'appeler Ginette. C'était fait pour ça les portables, non ? Pour appeler d'endroits complètement fous, comme une plage à Erquy. Ou alors, si un appel était trop fantasque, un petit texto.

Georges protesta intérieurement, c'était un scandale de taper comme un dingue sur une petite machine alors qu'on pouvait profiter de cette beauté sauvage, de la nature, du vent dans les dunes. Un peu de poésie, tout de même. Est-ce que Lord Byron, en extase devant les couleurs du printemps dans le Nottinghamshire, aurait envoyé des textos à tire-larigot ? Sûrement pas. Sauf que le poète romantique avait loué la nature dans toute sa splendeur à travers sa riche correspondance. Alors les SMS, s'il avait eu l'option à l'époque, ça ne faisait pas un pli qu'il en aurait abusé. Et puis cette fois, il avait quelque chose à lui dire, à Ginette.

Erquy sou le ciel gri, l'o é bonn, ns som ts 2 en bonn sanT. Ns atendon avc impatience 2 te revoir à Nantes, amitié, Georges.

> (Erquy sous le ciel gris, l'eau est bonne, nous sommes tous deux en bonne santé. Nous attendons avec impatience de te revoir mercredi à Nantes. Amitiés, Georges.)

Il vit également qu'il avait reçu deux textos d'Adèle en réponse aux siens. Elle donnait des nouvelles, lui enviait son grand voyage. Petite Adèle. Il regarda un instant l'horizon, prit une grande bouffée d'air frais dans ses poumons et resta les pieds dans l'eau, sans bouger, un long moment.

Dans le restaurant, Charles et Marcel le regardaient, et ne parlaient plus.

Il faut dire qu'avant de s'arrêter, ils parlèrent un sacré bout de temps. La conversation avait même été particulièrement animée, car Marcel et Charles ne cessaient de se découvrir des points communs. Marcel avait commencé par déclarer que sa trempette quotidienne l'avait gardé en si bonne forme qu'elle aurait dû être remboursée par la sécurité sociale. Il n'aurait pu choisir meilleur sujet pour gagner l'amitié de Charles.

« Ah, mais je veux bien ! s'écria Charles. Je veux bien ! Et je vais te dire, Marcel, y a pas que ça qui devrait être remboursé par la sécu. Y a aussi... le *concours de belote* ! Moi je vais te dire, c'est une fois par mois. C'est pas que tout le monde ait la folie des cartes dans notre coin, c'est Chanteloup, on n'est pas à Las Vegas. Mais quand même, d'abord, primo, y a un monde fou. Deuxio, tout le monde arrive, bon, ça commence à 14 heures, hein. Tu verrais ça, y a des estropiés, y en a qu'on pas de jambes, y en a qu'ont mal à ci, à ça, et mes ulcères, et mon mal aux reins, y en a même qui se sont tapé la chimio, et j'en passe. Tu parles ! Au premier dix de der, t'en as plus un qui se plaint ! À 17 heures, t'as toute la bande d'essoufflés là... ils joueraient de la trompette si on les laissait faire ! »

Charles tapa sur la table. Marcel opinait de la tête.

« Moi je joue pas à la belote, fit Marcel. Mais ça m'étonne pas, ce que tu me dis là. J'ai ma sœur à Reugny, en Touraine, à côté de Vouvray. Bon, tous les ans, vers la fin octobre, tu vois, ça va être bientôt, justement. Eh bien, ils font la fête à la bernache. Tu sais ce que c'est, la bernache ?

– Non, mais ça m'intéresse, parce que nous, on va y passer en Touraine, dans ces eaux-là.

– Bon, eh bien la bernache, c'est à mi-chemin entre le jus de raisin et le vin. Enfin, plus t'en bois, plus t'as quand même la nette impression que c'est plus proche du vin. Toujours est-il... toujours est-il que la bernache, Charles, eh ben ça aussi, mon ami, ça devrait être remboursé par la sécu !

– Ben ça m'étonne pas, si c'est à mi-chemin entre le jus de raisin et le vin, et même plus proche du vin, y a que du bon.

– Ma sœur, continua Marcel, elle organise la petite fête, et pis, bon y a une foire, un vide-grenier et tout, elle organise avec l'association, t'as tous les anciens du coin qui y vont, c'est le même topo ! C'est lève-toi et marche, même que Jésus, si ça se trouve, c'est de la bernache qu'il lui a filé, au miraculé ! »

Marcel et Charles se mirent à rigoler, et ça tapait sur la table, ça se tenait le ventre, et ça faisait plaisir à voir.

« Ah, reprit Charles sur un ton joueur, ah et puis y a un autre truc aussi, que les mutuelles elles devraient prendre à cent pour cent. Le *jardin*.

– Ah, objecta Marcel, ah, là, moi je dirais, quand même, le jardin, ça fait mal au dos.

– Ça fait mal au dos, ça fait mal au dos, s'indigna Charles, mais c'est parce que ton jardin, il est moche ! Un bon gros jardin potager, et puis, avec des jolies fleurs pour madame, pour en mettre dans ses petits vases quand y a du monde, alors là, y a pas mieux pour le moral. Et la pêche ?

– Ah la pêche, concéda Marcel, je dis pas. Remboursé aussi, surtout s'il fait beau, vers avril-mai, là, et que tu y vas avec le transistor.

– T'y vas avec le transistor, toi ? Ah, mais c'est pas dans le règlement ! Moi, il me faut du calme. Y a tellement de boucan chez moi, en plus, avec toute la smala... Mais si tu veux mon avis, tu ramènerais plus si t'avais pas le transistor.

– Mais non ! C'est des conneries, ça, les poissons, en Bretagne, ils adorent France Inter.

– Et le Tour de France ? cria Charles. Remboursé ou pas ? »

Ils se regardèrent sans rien dire, leurs yeux brillant de cette nouvelle complicité.

« Pas remboursé, Charles. S-pon-so-ri-sé ! Par la CPAM ! »

Les deux hommes se mirent à rire à nouveau. Puis les rires se dissipèrent, puis ils devinrent calmes, et leurs regards, naturellement, se tournèrent vers la mer. On y voyait Georges au loin, les pieds dans l'eau, penché sur quelque chose qu'il tenait à la main. Charles était habitué maintenant, il savait bien que c'était son téléphone portable.

Après un long silence, Charles dit doucement, tout en gardant les yeux sur la plage.

« Je vais te dire aussi, Marcel, ce qui devrait être remboursé par la sécu, pour Georges, là-bas. Les textos de sa petite-fille. »

Quand Georges fut de retour, les joues rouges, les pieds brûlants et la mine réjouie, on paya l'addition et rassembla les affaires. Comme il revêtait son veston, Marcel demanda à ses deux amis :

« Dites, si vous allez à Saint-Malo ce soir, vous passez par Dinard ?

– Beh oui, répondit Charles.

– Et si je vous emmenais dîner là-bas ? Je connais un restaurant fameux. Bon, il faut que j'appelle ma femme pour la prévenir, mais sinon, on est partis. En plus, en route, je vous fais visiter un peu la côte de granit rose, tout ça. Il faut que vous voyiez le port d'Erquy, aussi. »

Georges et Charles étaient partants, surtout Charles, qui n'aimait pas les adieux.

Sur la route, comme prévu, Marcel passa devant la Scénic avec sa Citroën C4. Ils s'arrêtèrent donc à Erquy centre, et Charles et Georges comprirent pourquoi on l'appelait « la station rouge ». Ils allèrent du port des Hôpitaux jusqu'à la plage de Saint-Pabu, et la succession de paysages riches et variés inspira un texto de Georges à Adèle :

1 otr dStination à noté qd tu viendra en Bretagn : ici, plaj pr le farniente, chem1 de rando. On visit avc 1 nouvel ami, Marcel, celui ki se bègn par ts lé tan. On va diné à Dinard avc lui ce soir.

(Une autre destination à noter quand tu viendras en Bretagne : ici, plages pour le farniente, chemins de randos. On visite avec un nouvel ami, Marcel, celui qui se baigne par tous les temps. On va dîner à Dinard avec lui ce soir.)

Marcel leur fit également un exposé d'ornithologie. Il leur expliqua que les oiseaux annonçaient le temps et guidaient les pêcheurs. Il put leur montrer différentes espèces : sternes, goélands, cormorans, mouettes, guillemots et fous de Bassan. Georges fut très attentif. C'était tellement plus intéressant que les musées.

Ils passèrent par le cap Fréhel, la baie de la Frénaye, Saint-Cast-le-Guildo, la presqu'île aux sept plages sublimes. Ils virent la pointe de la Garde et la digue qui longeait la grande plage, purent admirer la vue sur l'archipel des Ebihens et la presqu'île de Saint-Jacut. Marcel leur conseilla de goûter, un de ces jours, l'araignée de Saint-Cast.

Ça serait pour une autre fois. Finalement, ils arrivèrent à Dinard vers 18 heures.

Marcel leur fit faire le grand tour. Charles et Georges découvrirent le charme suranné de l'élégante station balnéaire, avec ses maisons face à la mer. Dinard exhibait peut-être les restes d'un faste passé, mais elle attirait aussi la jeunesse chic, à en juger par les voitures de sport qu'ils croisèrent. Ils dînèrent dans un sublime restaurant Belle Époque, dont les plantes vertes à l'entrée reprenaient les couleurs des somptueuses mosaïques murales. Si Georges et Charles ne se sentirent pas complètement à leur aise au début, à la fin de la soirée, ils étaient comme chez eux, grâce à la bonne chère, la bonne compagnie et l'affabilité du patron, qui vint les saluer.

On se quitta amis pour toujours, et on promit de se revoir bientôt. Charles et Georges arrivèrent tard à leur hôtel de Saint-Malo et se couchèrent aussitôt. Alors qu'il lisait le dernier texto envoyé par Adèle, où elle lui parlait du tournage, il s'aperçut qu'il avait oublié d'acheter le livre d'Agatha Christie, et le lendemain c'était dimanche. Tant pis, il l'achèterait à Nantes. Nantes, où il reverrait Ginette. Il repensa à son texto ; était embarrassé comme un adolescent. Il fit la grimace et se mit son oreiller sur la tête. Décidément, il était trop vieux pour tout ça.

Dimanche 5 octobre

Saint-Malo – forêt de Paimpont (Ille-et-Vilaine)

Georges, ce jour-là à Saint-Malo, n'eut qu'un regret, c'est qu'on ne soit pas le 16 octobre : à cette date était prévue une marée de 104 – une très grande marée. Ça promettait d'être spectaculaire : un feu d'artifice d'écume et d'eau qui se jetait contre la pierre et le vent. À marée basse, on pouvait explorer l'estran, avec ses bancs de sable et ses rochers. C'était le royaume des crabes, généralement recouvert par la mer. Il expliqua tout cela d'abord à Adèle par texto, et ensuite à Charles, alors qu'ils se baladaient sur le front de mer.

Par un coefficient de 83, le spectacle valait déjà le détour. La rangée de maisons pointues, la mer agitée, le ciel tourmenté, les arbres penchés, sculptés par le vent, Saint-Malo tout entière exposait une palette de gris incomparable. C'est ici que l'Atlantique rencontrait la Manche ; Charles aurait parié que la rencontre fut loin d'être amicale.

À la visite de la vieille ville, à l'intérieur des remparts, ils préférèrent une balade du côté de la digue. Dans le grand port, ils déjeunèrent en admirant le ballet incessant des bateaux de pêche, de commerce et de guerre.

Ils reprirent ensuite la route et arrivèrent à la forêt de Paimpont peu avant 16 heures. Charles tenait à visiter le musée Louison-Bobet avant la fermeture, mais Georges ne l'entendait pas de cette oreille : il voulait voir la mythique forêt de Brocéliande. Charles se cabra : c'était bien joli, la légende arthurienne, les sous-bois romantiques, l'esprit des druides et tout le tintouin, mais on lambinait, on lambinait, et il allait manquer le musée Bobet.

Finalement, Georges décida que puisque c'était comme ça, on allait se séparer. Il prendrait le volant – juste cette fois –, lâcherait Charles devant son musée, et irait admirer les *vrais* trésors de la région. Charles accepta, et ils ne se parlèrent plus jusqu'à ce qu'ils se séparent, à Saint-Méen-le-Grand, devant le fameux musée Louison-Bobet. Deux heures plus tard, ils se rejoignirent au même endroit. Georges céda la place du conducteur à Charles, et ils continuèrent de bouder, avec un entêtement remarquable. Ils se couchèrent sans dîner, ne souhaitant pas partager leur repas mais n'osant pas priver l'autre de la voiture, et sans savoir ce que chacun avait fabriqué pendant deux heures tout seul. Ils ne surent pas qu'ils firent exactement la même chose.

Lundi 6 octobre

Forêt de Paimpont (Ille-et-Vilaine) – Nantes (Loire-Atlantique)

Charles descendit à la salle du petit déjeuner ; ses os craquaient, il avait mal au dos et mal dormi. Le matelas était vraiment mauvais, il devrait le dire à la réceptionniste – enfin, ils partaient ce matin, inutile d'en faire un foin. Alors qu'il arrivait au rez-de-chaussée, son attention fut éveillée par le chant mélodieux d'une sérieuse engueulade. Et il n'avait pas besoin de tendre l'oreille pour reconnaître la voix animée de Georges.

« Mais enfin, vociférait Georges à l'attention de la réceptionniste, si on ne paye pas pour un bon lit, on paye pour quoi ? Dites-moi, les quarante-sept euros, c'est pour quoi, pour les peintures sur les murs ? Parce que je sais pas si vous savez, mais c'est pas non plus le Louvre chez vous, c'est plutôt du genre place du Tertre un jour de brouillard ! Ou alors quoi, pour le chant des petits oiseaux ? Parce que là aussi ça pèche, excusez-moi de vous le dire, le zinzin de la chasse d'eau, dans le bucolique on fait mieux ! Et la télé j'la regarde pas, et votre petit déjeuner, on a des appétits de moineaux, alors, vous allez me faire le plaisir de me changer mon matelas rapidos ! Enfin tout de même, ça fait combien de temps que vous l'avez pas changé ce matelas, depuis la guerre ? La deuxième ou la première ?

– Oh, monsieur, vous savez, la crise…

– Ah beh alors là, c'est le pompon ! Dites donc, je savais que la crise, elle empêchait les gens de dormir, m'enfin là on pousse la plaisanterie un peu loin ! Mais madame, la crise, la crise…, dit-il en battant des bras. Et puis la crise de quoi, je vous le demande, hein ? Beh j'vais vous l'dire moi : la crise du bon sens ! Parfaitement ! Et c'est pas d'hier, j'aime mieux vous l'dire ! Alors avec vos crises là, avant que moi j'en pique une de sérieuse, vous feriez mieux de vous manier le train pour me trouver un remplacement de premier ordre ! Avec ressorts et molletons et tout le bazar ! Et de préférence avant la Saint-Glinglin ! Merci, madame, au revoir, madame ! »

Georges se détourna et faillit rentrer en collision avec Charles, qui le prit par le bras et lui fit tout bas :

« Mais Georges, on part ce matin, tu t'en fiches qu'ils te changent ton matelas maintenant…

– Ah non, je rattrape mon sommeil en retard, je fais la sieste un point c'est tout ! On partira quand on partira, moi je redors dès que cette sauterelle m'aura trouvé un plumard digne de ce nom ! »

Il alla directement au buffet et se servit un énorme tas de corn flakes qui déborda vite du bol. C'était la première fois que Charles voyait Georges manger des céréales, mais il se dit qu'il y a des moments dans la vie où on a juste envie de se servir un grand bol de n'importe quoi. C'était un de ces moments.

Personne ne dit rien pendant le petit déjeuner. Georges grogna un peu, et presque par réflexe, saisit son portable dans sa poche intérieure de veston. Il texta un message qui fut envoyé, presque avec un bruit sec. Enfin, sans rien dire, la chose avait quand même été décidée : on roulerait vers Nantes dès que Georges aurait dormi son comptant. Ils rouleraient de nuit, tant pis.

Finalement, la réceptionniste se dirigea vers Georges et lui proposa la meilleure chambre, à l'œil, pour le reste de la journée, et même la nuit s'il le souhaitait. L'offre fut dûment et dignement acceptée. Georges essaya le lit, et le sourire lui monta jusqu'aux oreilles. Il était divin. Charles en profita pour lui rappeler que lui non plus n'avait pas fermé l'œil, ils firent donc leur sieste tous les deux dans le grand lit double. Georges signifia à Charles à quel point il prenait cette sieste sérieusement en enfilant son pyjama à rayures et en plaçant ses pantoufles près du lit. Il s'endormit après avoir envoyé un autre texto à Adèle.

Il fut réveillé par la sonnerie de son téléphone. Il décrocha sans se rappeler où il était, ni quelle heure il était.

« Allô, Georges ? C'est Ginette, dit-elle d'un ton enjoué.

– Ah, Ginette.

– Ça va ?

– Oui.

– Je ne te dérange pas au moins ?

– Euh, non.

– Bon, je voulais te dire, pour demain…

– Ah oui.

– Je te propose midi trente à ton hôtel. Ça te va ?

– Oui, oui.

– Bon. Vous descendez bien toujours à l'Hôtel de France ?

– Oui.

– Très bien, donc midi trente.

– Oui.

– Alors à demain, Georges, fit Ginette d'une voix bien moins guillerette.

– À demain, euh, Ginette. »

Georges était à présent complètement réveillé, et totalement perdu. Il faisait sombre dans la chambre. Avait-il dormi aussi longtemps ? Charles était allongé dans la pénombre à côté de lui. Il vit l'heure sur le portable : 18 h 47. Il alluma la lampe de chevet et réveilla Charles. Les deux hommes, alarmés, étaient aussi affamés ; depuis la veille, ils n'avaient mangé que le petit déjeuner frugal de l'hôtel. Ils avaient manqué deux repas en deux jours, il fallait absolument rectifier le tir. Ils avalèrent leur dîner en silence avant de reprendre la route. Avec ça, pensa Georges, on ne s'était pas vraiment rabiboché depuis le coup du musée Bobet et de la forêt de Brocéliande. C'était moche.

Ils arrivèrent à l'hôtel juste avant minuit et rejoignirent leur chambre sans se dire un mot. À peine arrivé dans la sienne, Georges défit ses affaires, enfila son pyjama et se glissa immédiatement sous les couvertures. Bien entendu, impossible de fermer l'œil. Mais cela tombait plutôt bien car Adèle était en tournage de nuit, et il avait une tripotée de choses à lui dire. Il y avait encore tout Dinard, Brocéliande, l'engueulade avec la réceptionniste et l'engueulade avec Charles à lui raconter. Sauf que peut-être il ne dirait rien sur l'engueulade avec Charles, car il n'en n'était pas trop fier. En tous les cas, le grand-père et la petite-fille passèrent la moitié de la nuit à se texter. Un texto d'Adèle en particulier réchauffa le cœur du vieil homme :

Adèle 07/10/2008 03:14
tournaj 2 nui difficil é solitR, dc mRci papy de pacé la soiré avc moi !

> (Tournage de nuit difficile et solitaire, donc merci papy de passer la soirée avec moi !)

Il le regardait encore bien après qu'ils se furent souhaité bonne nuit.

Mardi 7 octobre

Nantes (Loire-Atlantique)

Georges se leva très tard ; Charles n'était pas venu le chercher – visiblement il faisait toujours la tête, ce qui arrangeait bien Georges, qui avait pu récupérer après sa nuit (presque) blanche, et eut tout le loisir de se préparer pour son rendez-vous avec Ginette. Il en avait d'ailleurs oublié de prévenir Charles que sa sœur arrivait à midi trente. Zut. Il était presque 11 heures. Il appela la réception.

« Bonjour, madame, je voudrais laisser un message pour M. Charles Lepensier, s'il vous plaît.

– Oui, ne quittez, pas, je vous passe sa chambre, fit une jeune femme polie.

– Non non non, s'empressa-t-il de rajouter, je ne veux pas le déranger, je veux juste laisser un message.

– Très bien, monsieur.

– Voilà, pouvez-vous lui dire que M. Georges Nicoleau lui dit que Ginette sera à l'hôtel à 12 h 30 aujourd'hui ?

– Très bien, je lui laisse le message.
– Merci, madame, au revoir, madame. »

À midi cinq il était douché, lavé, rasé, habillé, parfumé, casquette époussetée, lunettes nettoyées et chaussures cirées. Bref, il était prêt à partir, mais il y avait encore presque une demiheure à patienter. Il s'assit sur son lit, voulut allumer la télévision, mais ce poste-là était compliqué, avec toutes ces chaînes qu'il n'avait pas à la maison, ce n'était pas pareil.

À la maison... Elle lui semblait si loin, sa petite maison de Chanteloup. Il commença à penser aux raisons pour lesquelles il avait entrepris ce Tour de France, qui lui paraissaient bien sombres maintenant. Mais il chassa vite ces pensées de sa tête ; il aurait tout le loisir d'y réfléchir plus tard. Pour le moment, il fallait se concentrer à attendre le rendez-vous avec Ginette.

À midi trente, il était assis à une table du restaurant et tripotait les coins de sa serviette. Il avait été embarrassé quand le maître d'hôtel lui avait demandé : « Une table pour combien ? » Il s'était dit que c'était tout de même plus correct de prendre une table pour trois, même s'il espérait à présent que Charles ne viendrait pas. Non pas qu'il ne supportât pas sa compagnie, on n'était tout de même pas fâchés à ce point-là. Mais il aurait tout de suite vu que Georges était nerveux, et ça le gênait. Car oui, il était nerveux, comme un adolescent. Comme quoi, dans ce domaine-là, la leçon n'était jamais apprise. Ou alors il était un peu rouillé dans les affaires du cœur, après tout, son dernier rendez-vous galant datait de presque soixante ans.

Ginette arriva à midi trente-deux. Georges la trouva encore plus féminine que la dernière fois. Il n'aurait pu dire ce qui avait changé, le maquillage, peut-être, ou la coiffure, en tout cas le résultat était réussi. Elle portait un chemisier rose pâle, un joli collier de perles et une veste de coupe assez moderne en laine rouge qui mettait en valeur son teint bronzé. Ils se firent la bise. Georges lui tira sa chaise, en vrai gentleman. Il voulut expliquer l'absence de Charles avec l'histoire du mauvais matelas, du musée Louison-Bobet, du message laissé à la réceptionniste, etc., mais plus il avançait, plus cela avait l'air d'un complot pour être seul avec elle ; finalement, il s'empêtra si bien que Ginette conclut par un : « Ah, je comprends. Ce n'est pas grave, on le verra sûrement cet après-midi. »

Pour une fois, Georges ne trouva rien à redire au déjeuner. En fait, il ne fit attention à rien. Ni à ce qu'il mangeait et à ce qu'il buvait, ni aux autres clients, qu'il aurait trouvés prétentieux, ni aux tableaux accrochés aux murs, trop contemporains, ni au chariot à desserts, trop chargé. Il ne voyait que Ginette. Et lui-même – oui, il était beaucoup plus conscient de lui-même que d'habitude et ça ne lui plaisait guère. Au moment du dessert, il se tut et n'écouta plus Ginette, qui, elle, parlait beaucoup. Non pas qu'il ne fût pas intéressé par ce qu'elle avait à dire, mais lui avait à se concentrer sur ce qu'il était sur le point d'exécuter. Ce n'était décidément pas comme la bicyclette, cette affaire. Finalement, il trouva le courage nécessaire et prit la main de Ginette dans la sienne. Ginette s'arrêta de parler, puis reprit, encore plus vite. Mais elle laissa sa main dans celle de Georges.

Après le dessert donc, la conversation prit une autre tournure. Il était donc admis que le geste de Georges, suivi de l'agrément de Ginette, changeait radicalement la donne. On pouvait, si on le souhaitait, faire des projets ensemble, pour autant qu'ils restent modestes. Cette phase était extrêmement périlleuse : un projet trop ambitieux, et on aurait été accusé de prendre les choses trop au sérieux ; en revanche, pas de projet du tout, on aurait eu l'air de prendre les choses à la légère. Georges se sentait aussi à l'aise qu'un équilibriste débutant avec des rhumatismes. Heureusement, Ginette trouva la bonne mesure. Elle insista d'abord sur le fait que son agenda mondain était excessivement chargé, entre les amis qu'elle recevait chez elle et les invitations chez eux en retour, elle n'arrêtait pas. Dans le tourbillon de ses engagements, il y avait tout de même un créneau tout tranquille, où elle serait seule à la maison pendant une semaine. Et il ne ferait pas encore trop froid, vu que c'était la semaine suivante. Elle se réjouissait, dit-elle à Georges, de longues promenades sur la plage et dans les pinèdes. Malheureusement, Georges était long à la détente. Il lui fallut encore quelques allusions, de moins en moins subtiles, pour qu'il comprenne – ou plutôt qu'il soit absolument sûr de comprendre – qu'elle l'invitait à Notre-Dame-de-Monts la semaine d'après.

Cette invitation tombait du ciel. Georges était satisfait de son tour de Bretagne. Tout ce dont il avait envie à présent était de se poser dans un endroit confortable, de profiter des années qui lui restaient et d'envoyer des textos à sa petite-fille. Si Ginette faisait partie du tableau, l'offre devenait absolument irrésistible.

Georges et Ginette passèrent l'après-midi à flâner dans les rues de Nantes, Ginette se faisant un plaisir d'être le guide de Georges. Elle lui montra le quartier de la cathédrale, avec ses petites rues tortueuses. Ils passèrent devant le musée des Beaux-Arts, mais Georges avertit qu'il n'était pas un grand amateur de musée. En revanche, il insista pour qu'on aille jeter un coup d'œil sur le palais de justice, dont il avait vu une photo dans un des magazines de sa chambre d'hôtel. Ils prirent un taxi et arrivèrent devant un grand édifice contemporain en métal noir, béton et verre qui, contre toute attente, impressionna fortement Georges – que Ginette avait plutôt imaginé classique dans ses goûts architecturaux. Fidèle à sa réputation, Georges regretta tout même que les détails aient été bâclés. Ils explorèrent longtemps le bâtiment, et Georges en profita pour partager ses connaissances en construction et en ingénierie. Ginette écoutait, docile. Du haut du palais, ils purent profiter d'une vue sans pareille sur Nantes et sur la Loire qui se pressait, en tourbillons couleur de boue, à leurs pieds.

Vers la fin d'après-midi, ils appelèrent l'hôtel avec le portable de Georges pour savoir si Charles était de retour, sans succès. À deux pas du cours Saint-André, une promenade bordée de bâtisses élégantes, classiques et sobres, ils trouvèrent un petit restaurant gastronomique qui servait une cuisine raffinée dans un cadre douillet. Et c'est sur la décadence enivrante d'un chocolat en ganache moelleuse que la première journée de leur romance naissante s'acheva.

Georges s'assit au bord du lit, dans cette grande chambre au design contemporain et aux tarifs prohibitifs. Il faisait nuit. Il avait envoyé son petit texto de la soirée à Adèle, mais ne s'était pas étendu sur ses activités de la journée. Il était tout vermoulu de son escapade. Ginette était repartie à Notre-Dame-de-Monts, à environ une heure de là. Il soupira. Au moins, l'hôtel était confortable. Il avait cruellement manqué de confort depuis leur départ. La chambre à Auray avait été agréable. Celle de la forêt de Paimpont, la deuxième, aussi, à la limite. Et puis, ah, la chambre chez Ginette. Ça avait été la plus confortable. Et au moins là-bas, le petit déjeuner était convivial, sonore. Cette folle épopée était tout de même bien fatigante. Il ne s'était pas encore tout à fait remis de la nuit dans la forêt de Paimpont et se sentait bien las. Le cœur plutôt léger, certes, mais le corps fatigué. Très fatigué. L'offre de Ginette venait à point nommé.

Georges passa la soirée assis sur son lit, à méditer sur cette aventure. Comment aurait-il pu oublier les raisons qu'il avait eu de partir ? Il avait échafaudé son plan pendant si longtemps, tout seul ; et le paquet enrobé de papier kraft, là, sous ses chaussettes de rechange, les lui rappelait à chaque fois qu'il faisait et défaisait sa valise. Il avait fait ce tour pour échapper à la lenteur cruelle du temps. Pour presser le destin. Pour en finir.

Mais c'était avant. Avant Ginette, avant Adèle, avant la Bretagne et ses paysages inattendus, avant ses pique-niques avec Charles, avant qu'il ne découvre des restes d'allégresse dans son cœur à pile. Avant. Avant, il pensait que la bouteille était vide. Mais il savait bien, maintenant, qu'il en restait quelques gouttes. Même plus, si ça se trouve. Alors autant les partager, tranquillement, sans se presser. Sans se presser.

Georges décida donc d'arrêter là le Tour de France. Cet abandon aurait dû sonner comme un triomphe.

Mercredi 8 octobre

Nantes (Loire-Atlantique) – Cholet (Maine-et-Loire)

Georges fut rassuré de voir Charles dans la salle du petit déjeuner ; il avait fini par se faire du souci. Charles lui dit avec un petit sourire qu'il avait bien eu le message, mais qu'il avait préféré les laisser seuls. Georges lui sourit à son tour. Pas la peine d'en rajouter.

En revanche, ce que Georges avait à dire à son compagnon, et qu'il s'était répété une bonne partie de la nuit, ne sortait pas. En outre, il ne voulait pas que Charles pense que c'était la conséquence de cette stupide engueulade chez Louison Bobet. Il fallait jouer serré.

« Euh bon, là Charles, j'ai un truc à te dire. Tu sais, je crois que je vais m'arrêter là.

– Ah bon, fit Charles, qui s'était raidi sur sa chaise.

– Oui. C'est bien, l'aventure, mais pour mes vieux os, c'est pas facile. J'ai l'air d'un vieux con comme ça, et ça m'embête de te laisser tomber, mais ma foi, il faut s'écouter des fois, et là je me dis que c'est pas trop la peine de continuer quand le cœur n'y est pas. Enfin, façon de parler, là c'est surtout le reste qui n'y est pas. Tu sais, ça fait plusieurs étapes que je me dis qu'il faut que je me pose. Je suis plus le rythme. »

Charles ne broncha pas.

« Et je vais te dire un truc, Charles. La forêt de Brocéliande, là. Tu sais, j'ai rien vu. J'ai roupillé pendant deux heures sur le parking de l'Atac de Saint-Méen. Et encore, j'ai pas bien roupillé, rapport à ce qu'on s'était fâchés.

– C'est marrant que tu me dises ça, répondit Charles tristement. Moi j'ai rien vu du musée non plus, il était fermé. Fermé le lundi. Alors moi aussi j'ai roupillé, dans le café des Sports de Saint-Méen. Et t'as bien raison, on dort pas bien quand on s'est... enfin, tu vois. Enfin. »

Charles avait l'air plus touché que Georges ne l'avait imaginé, ce qui le mit vraiment mal à l'aise. Charles lui dit, presque en chuchotant :

« C'est Ginette, hein ?

– Pas uniquement, mais enfin oui, ça y fait aussi, répondit Georges après un instant d'hésitation. Elle m'a invité à Notre-Dame-de-Monts. Passer la semaine. Histoire de se refaire une santé après les journées qu'on a passées sur la route. C'étaient des sacrées belles journées, soit dit en passant. C'est d'ailleurs pour ça que y a pas de honte à souffler un peu. »

Charles, comme s'il n'avait pas entendu ces arguments, lui demanda doucement, presque les larmes aux yeux :

« Y aurait pas moyen de passer cette semaine après la dernière étape ? Ou même avant, mais qu'on fasse encore un peu de route ? »

C'était la première fois que Georges voyait la vulnérabilité de Charles, ce bon vieux Charles avec ses grosses mains de paysan, et cela le troublait profondément. Quelque chose lui échappait. Pour la première fois depuis des années, il ne comprenait pas son voisin, et il ne sut trop quoi dire.

« Tu sais, Charles, bon, on n'est pas après le maillot jaune », hasarda-t-il.

Étrangement, les phrases qu'il avait répétées dans sa tête la veille sonnaient faux.

Charles resta silencieux un long moment, penché sur ses tartines. Finalement il lança d'un ton solennel, presque méprisant :

« Ginette, elle sait pas. Si elle savait, elle t'aurait pas invité cette semaine. »

Cette remarque prit Georges totalement au dépourvu.

« Qu'est-ce que tu veux dire, Charles ? balbutia-t-il. J'ai rien caché à Ginette, d'ailleurs j'ai rien à cacher à personne, j'ai…

– Je veux dire… Elle sait pas pourquoi je suis là.

– Bah, Charles, voyons, t'es là parce que t'avais un projet de gamin et qu'on a tous le droit d'avoir des projets de gamins et de les réaliser à quatre-vingts berges, y a pas de honte, bien au contraire ! Mais bon, ça fait deux semaines que justement, on fait les gamins et moi, j'ai le regret de constater que mes guiboles elles suivent pas et je dirais pas non à une petite pause… Quitte à reprendre après…

– Non, Georges, interrompit Charles, c'est pas pour ça que je suis là. Oh oui, j'avais bien ce projet depuis un bail, mais bon, celui-là ou un autre, c'est pas ce qui manque, les projets. Je suis là parce que j'ai besoin… »

Il s'arrêta un moment, et reprit d'une traite.

« … j'ai besoin de toi et de ce Tour et de voir du monde et de voir des choses parce que Georges, ma tête, elle est malade. C'est la maladie des vieux, Georges, la *dégénérescence*, et tout le monde a beau te rebattre les oreilles avec ça et te dire que c'est la vie et que t'y couperas pas, mais crois-moi, Georges, c'est une saloperie quand ça arrive. Et y a pas de médicaments, y a rien à part la maison de fous et des gros trous noirs entre. Alors le seul truc, les docteurs ils disent tous ça, c'est de la faire marcher, la caboche. Et comment ? Les mots croisés qu'ils disent, ils disent ça à tous les pépés parce que les pépés ils sont bons qu'à faire des mots croisés. Mais je vais te dire, les mots croisés, il en faut, et des mots fléchés, et des mots codés, casés, mêlés, et des sudokus et tout le bastringue, il en faut pour continuer à y voir clair là-dedans, il en faut plus que le *TéléStar* il en imprimera jamais. Et moi j'en suis dégoûté, des mots croisés, je peux plus les blairer, je connais tous les mots, tous les "ay", les "eu", les communes en deux lettres, ah, je pourrais t'en faire des compètes de mots croisés. Alors d'accord, y a aussi la belote et le jardinage et les Chiffres et les lettres et le Scrabble, si tu les écoutais tu te mettrais au macramé. Mais tout ça, Georges, c'est plus assez… C'est plus assez… Y a ce truc qui me ronge le crâne et qui efface tout, qui bouffe les souvenirs, les visages, même ma salle à manger et les prénoms des p'tits… Tout ce que je savais, je sais plus. Tout ce que j'ai vu, y en a la moitié qui manque, et j'ai les foies que tout parte tout d'un coup, bam, rideau, et alors il restera quoi de moi ? Je serai tout vide comme une vieille coque de noix, avec rien dedans, rien, parce que ça sert à quoi d'être vieux si on n'a plus ses souvenirs ? Elle vaut quoi, la vie, quand y a plus personne dedans parce que tous les copains et toute la famille et tous les enfants ils ont été effacés ? Elle vaut que dalle, la vie, Georges. Que dalle. Alors voilà. Tout ce qu'on a trouvé avec Thérèse, c'est ça, c'est le Tour de France. Changer tous les jours de paysage, m'aérer les méninges, rencontrer du monde, apprendre des trucs... Et pis en plus réaliser un vieux rêve de gamin, alors, tu comprends, entre ça et les mots croisés... On y croyait à peine au début, parce que t'étais pas chaud, donc on a préféré pas trop s'accrocher. Mais maintenant... maintenant, on y est... P'têt que ça fera rien, tu me diras, que là-dedans, ça va continuer à s'éteindre petit à petit et qu'y a rien à y faire. Mais p'têt pas, p'têt que ça va marcher. Thérèse, elle y croit. Et pis, moi je sais pas si j'y crois, mais qu'est-ce que tu veux, si ça fait pas de bien, ça fait pas de mal. Oh et pis si, merde, j'y crois, parce que ça fait du bien d'y croire. Voilà. Tu vois, Georges, tout ça, elle le sait pas, Ginette. Que son petit frère il perd la boule comme les vieux. Sinon... elle t'aurait pas demandé, pour Notre-Dame-de-Monts. »

Charles se tut. Georges resta silencieux. Il avait la gorge sèche. Pourquoi ne l'avait-il pas vu plus tôt ? La pompe à essence, bien sûr, il aurait dû s'en douter. Et le coup des ordures à Châteauneuf-du-Faou... Et puis d'autres fois avant, maintenant qu'il y repensait, le jour où il ne savait plus comment on faisait la tisane, et d'autres moments comme ça. Et maintenant il comprenait pourquoi Charles n'en parlait plus, du Tour, lui qui était imbattable sur les anecdotes.

Que pouvait-il dire ? Que le Tour, c'était bien joli, mais après ? Allait-il faire le tour du monde ? La terre n'était plus si grande de nos jours, ça irait vite... Allait-il faire la route comme un romanichel jusqu'à la fin de ses jours ? Séparé de ses proches, pour ne pas les oublier ? Charles avait raison, on en entend beaucoup parler, de cette dégénérescence mentale, mais on n'en sait rien. Ça n'arrive qu'aux autres. Et là il voyait Charles condamné, bercé par des illusions. Ce Tour de France en devenait absurde. Comme il aurait aimé être d'un naturel optimiste à ce moment-là, comme il aurait aimé croire en ce que disait son ami, croire à sa guérison, et pendant qu'on y était, bordel, croire en Dieu aussi, pour qu'il fasse un miracle, juste pour son pote.

Charles rompit le silence.

« J'vais te dire autre chose, Georges : ça fait du bien de te l'avoir dit, remarque. Parce qu'en plus quand il faut le cacher... Ah là... Enfin, tu sais, je te raconte tout ça, c'est pour dire que l'invitation de Ginette, bon, elle l'a faite sans savoir. Mais sinon pour tes douleurs, qu'est-ce que tu veux y faire, on n'y peut rien. On n'y peut rien. »

Il fallut un long moment avant que Georges trouve le courage de lui répondre.

« Si, on y peut. »

L'après-midi même, ils étaient partis pour l'étape 3. Et cette fois, ils iraient jusqu'au bout.

❖

« À vous la route du Tour, à vous Jean-Paul Brouchon ! » s'exclama joyeusement Georges en attachant sa ceinture de sécurité. Les deux compères se mirent en route avec un entrain qu'ils n'avaient pas retrouvé depuis le premier jour – et encore, le premier jour, ça rigolait nettement moins. La révélation de Charles avait marqué une autre étape dans leur longue amitié. D'ailleurs, on pouvait à présent dire sans honte qu'on était *amis*, et non plus *voisins*. Charles était visiblement soulagé d'avoir partagé cette angoisse avec Georges. Il avait aussi longuement eu sa sœur au téléphone. Ça avait été un coup dur pour elle, mais elle était bien d'accord qu'il fallait faire faire de l'exercice au ciboulot. Du coup, Georges ne viendrait pas à Notre-Dame-de-Monts, mais elle l'attendait de pied ferme pour novembre.

Et dans la bonne humeur, sur la route Nantes-Cholet, Georges commença à siffloter *Y'a d'la joie*, la chanson de Trenet qui avait bercé sa jeunesse. Charles l'accompagna, un peu faux certes, mais le résultat était bien joyeux. Et soudain, les paroles sortirent toutes seules de la bouche de Charles : « Miracle sans nom à la station Javel / On voit le métro qui sort de son tunnel / Grisé de soleil de chansons et de fleurs / Il court vers le bois, il court à toute vapeur / Y'a d'la joie bonjour bonjour les hirondelles ! »

Et cela jusqu'à la fin de la chanson. Elles venaient de loin, ces paroles, et elles venaient comme un élan nouveau qui emmenait l'homme tout entier. Juste avant le dernier couplet, Charles, ravi et faussement modeste, dit :

« Oh, je ne me souviens plus du reste…

– Ah mais quand même, chapeau ! s'écria Georges. Vous fîtes ce que vous pûtes mais vous m'épatâtes ! »

Charles fit une pause de quelques secondes, et s'écria :

« Brambilla ! Pierre Brambilla ! Le Tour 47 !

– Gagné !

– Allez, j'ai pas tout perdu, va ! Y en a encore un sacré paquet sous la casquette ! »

L'itinéraire du Tour les ramenait, lentement mais sûrement, vers leur pays. Ils passèrent la soirée et la nuit à Cholet, chez un couple d'amis de Charles. Après cette journée éprouvante, Charles put se détendre en devisant longtemps et gaiement avec ses amis, tandis que Georges se retira tôt, prétextant des douleurs diverses et variées. En vérité, il avait accumulé un retard considérable dans ses textos à Adèle et se rattrapa largement en en envoyant six, qui racontaient les événements des deux derniers jours, de la visite de Nantes aux révélations de Charles. Bien sûr, il parlait de Ginette, sans trop en révéler, mais Adèle lirait entre les pixels. Et puisqu'on y était, il envoya aussi un texto à Ginette. Aucune de ses femmes ne lui répondit sur-le-champ, donc, une fois n'est pas coutume, il éteignit son téléphone, mit ses boules Quies et dormit du sommeil du juste.

Jeudi 9 octobre

Cholet (Maine-et-Loire) – La Celle-Guénand (Indre-et-Loire)

Qu'elles étaient douces, ces routes qui allaient à Bressuire, Mauléon, Les Herbiers, Thouars. C'étaient celles qu'ils avaient empruntées toute leur vie. Les noms étaient familiers, on se sentait bien. C'était comme si tout leur ressemblait. On savait quel pain on allait trouver dans les boulangeries. Les cultures, les arbres, les mauvaises herbes même, ils pouvaient en dire les noms. C'étaient les mêmes journaux au tabac-presse, et les mêmes vieux qui discutaient au feu rouge. Les monuments aux morts dans les villages portaient des noms qu'ils reconnaîtraient sans doute, les familles habitant toujours le coin. Georges et Charles voyaient d'un œil nouveau, et attendri, ce qu'ils avaient vu toute leur vie. Mais ce n'est que maintenant qu'ils prêtaient attention.

Ils passaient tellement près de leur petit chez-eux que Charles et Thérèse s'étaient arrangés pour se voir. Dieu sait comment ils avaient fait pour s'organiser, se dit Georges, car

Charles n'avait pas de téléphone portable. Georges, pour rendre la monnaie de sa pièce à Charles, proposa de les laisser tous les deux en amoureux et s'installa dans un petit café du centre de Thouars qui promettait un menu à sept euros. D'autres petits vieux étaient installés ; le patron, torchon sur l'épaule, discutait avec un gars du coin perché sur un tabouret. C'était théoriquement interdit de fumer, il faisait donc des allers-retours jusqu'à la porte d'entrée, enfumant tout le monde sur son passage.

Naturellement, Georges saisit son portable pour s'occuper les mains et passer le temps. Il avait reçu plusieurs textos d'Adèle et un de Ginette. Deux petits vieux, penchés sur leur verre Duralex, l'interpellèrent.

« Alors, jeune homme, on joue du texto, comme les jeunes ?

– Ah, beh, y faut bien, répondit Georges poliment. La petite-fille, vous savez ce que c'est. »

Et il se replongea dans la lecture du texto, mais les deux vieux étaient d'humeur taquine.

« Oh non, moi chais po c'que c'est, et j'ai po envie d'savoir. Si y faut s'met' à tout c'qu'y font les jeunes, rien qu'pour pouvoir leur adresser la parole, alors lo… les jeunes, maint'nant, y peuv' po faire cent mèt' sans clic clic clic clic clic clic clic clic. »

Et il mima l'écriture frénétique d'un texto. Avant que Georges puisse se dire que ce discours lui semblait familier, la patronne le sortit de son embarras en lui glissant, complice :

« Je vais vous mettre dans la salle du restaurant, à l'étage, vous serez plus tranquille. »

Elle était jolie cette salle, avec sa grande tapisserie sur le mur. La propriétaire débarrassa la table et son fer à repasser qu'elle avait laissé à côté de la fenêtre et lui installa verre et couverts.

Enfin il put se consacrer à ses textos. Ginette parlait du temps qu'il faisait. Adèle se plaignait de ses horaires de travail. Ginette était allée voir une amie aux Sables-d'Olonne. Adèle craignait d'avoir un début de rhume. Ginette avait décidé de refaire la tapisserie de la cuisine avant novembre. Adèle n'avait plus de rhume, merci. Des nouvelles sans grand intérêt, en somme. Rien d'essentiel. Et dire qu'il lui avait fallu quatre-vingt-trois ans pour prendre du plaisir à lire des nouvelles sans intérêt.

Un peu plus tard, Charles rejoignit Georges, lui transmit la bise de Thérèse, et ils repartirent. Ils continuèrent vers Le Grand-Pressigny, qui avait vu passer le Tour, et La Celle-Guénand, qui ne l'avait pas vu passer, mais qui offrait une nuit dans un magnifique château du XVIIe siècle pour quarante-cinq euros. Charles et Georges tombèrent en admiration devant les paysages de cette Touraine inspirée par l'automne, les couleurs pastel des champs, gris et orange, les toits en ardoise, les nuages qui filaient comme de la fumée, la verte abondance des forêts, les tournesols séchés qui baissaient leur tête marron comme des enfants punis. Georges ne regrettait plus d'avoir continué le Tour.

❖

Il y avait belle lurette qu'on savait que Georges avait les moyens, et Charles, pas autant. Et si c'était un fait établi pour Georges, Charles ne s'y était jamais complètement fait. Il fut donc particulièrement fier d'inviter Georges au restaurant ce soir-là, au Petit-Pressigny. Et pas n'importe quel restaurant – un qui était dans tous les guides. Le Michelin lui avait d'ailleurs décerné sa prestigieuse étoile et faisait les louanges de son « lard paysan, embeurrée de chou vert, boudin noir et croustillant de couenne ». Non pas que Charles voulût en mettre plein la vue à son compagnon, mais les deux touristes n'avaient pas vraiment eu l'occasion de célébrer leur épopée, à part avec le kir tiède de Guéméné. C'est donc avec grâce et un plaisir non dissimulé que Georges accepta la généreuse invitation. Ils passèrent une soirée mémorable, les saveurs de la cuisine et des vins s'ajoutant à l'euphorie suscitée par les derniers évènements. Les deux amis quittèrent l'établissement bons derniers. Et heureux.

Le soleil, le lendemain, n'aurait jamais dû se lever.

Vendredi 10 octobre

La Celle-Guénand – Loches (Indre-et-Loire)

Quand Georges tira les vieux rideaux de sa chambre, au château de La Celle-Guénand, il vit que le temps était revenu au beau. Il faisait froid, mais le ciel était immaculé et la lumière jouait avec l'or tout neuf des arbres. Il n'avait pas très bien dormi, la literie était vieille, mais cette fois il ne dirait rien. La propriétaire était une dame délicieuse, élégante et mince, et encore plus âgée que lui. Elle s'occupait elle-même de son château et de la douzaine de chambres qu'elle louait. Ça devait être un sacré travail. Tout était raccommodé, délavé et fané, mais Georges n'avait pas de mal à voir que tout avait eu de l'allure, un jour, avant. La moquette de la chambre avait même un passé glorieux : la propriétaire l'avait récupérée, grâce à des connaissances haut placées, lors d'une des réfections du Ritz à Paris.

Georges était en retard pour le petit déjeuner, servi dans la salle des armes, deux étages plus bas. Le château avait un magnifique escalier d'origine, en pierres usées par le temps. Le soleil du matin qui passait par une de ses grandes fenêtres éblouit Georges un instant, qui, ne voyant plus où il posait les pieds, glissa à l'endroit où la marche était le plus étroite. Le reste du corps suivit, mais comment et dans quel ordre, Georges ne s'en souviendrait pas.

Cinquante-huit minutes plus tard, il arriva au centre hospitalier de Loches, où le médecin qui le prit en charge, bien qu'amusé par cette histoire de Tour de France, fut formel : le Tour s'arrêtait ici.

L'arrivée du plateau-repas réveilla Georges. Après une seconde de répit, la douleur l'assaillit. Était-ce le soir, ou bien l'aube ? Non, le soir. L'infirmière redressa son lit. Il était faible et se sentait aussi lourd que du plomb. Il avait du mal à respirer. Une perfusion était attachée à son bras, et des machines clignotaient à côté de lui. Il était seul, vraiment seul. Son portable n'était pas sur la table de nuit. Sur la porte était affiché un petit imprimé, « Téléphones portables strictement interdits ». Il ne toucha pas au plateau-repas. Il prit les pilules dans la boîte à pilules, dont une qu'il reconnaissait être un somnifère, redescendit son lit avec la télécommande qui y était attachée, éteignit la lumière et laissa les médicaments endormir tout ce qui faisait mal.

Dimanche 12 octobre

Loches (Indre-et-Loire)

Adèle raccrocha. Thérèse, l'épouse de Charles, le coéquipier du Tour, venait de l'avertir que son grand-père était à l'hôpital, dans un état critique. Ce serait désastreux pour sa carrière de manquer quelques jours de tournage, on ne la recommanderait peut-être pas. Elle passa quelques minutes à y réfléchir, puis le bon sens reprit le dessus. Quelqu'un d'autre servirait le café et s'occuperait de toutes ces tâches idiotes. Elle irait voir son grand-père, un point c'est tout. La directrice de production commença par refuser, mais quand elle comprit qu'Adèle ne demandait pas une autorisation, mais donnait un préavis, elle lui demanda d'être de retour le plus rapidement possible. Il serait difficile de trouver une autre stagiaire aussi rapidement. Pour la première fois, Adèle pensa qu'elle était peut-être plus utile qu'elle ne l'avait cru.

En voyageant de nuit à l'aller et au retour, elle pouvait ne manquer qu'une seule journée. Elle prendrait le train pour Paris le lundi soir, dormirait quelques heures sur le futon d'une amie parisienne, se rendrait tôt à la gare Montparnasse et arriverait à Tours dans la matinée, d'où elle prendrait enfin le TER pour Loches. Elle serait à l'hôpital à l'heure du déjeuner. Elle n'aurait que quelques heures devant elle : elle devrait reprendre le train pour Paris en fin d'après-midi. Durant cette seule visite, elle devrait trouver le courage de dire à son grand-père ce qu'elle avait répété et ressassé depuis la veille. Il lui suffirait de trouver le courage.

De toutes les misères que Georges avait à endurer, une était pire que toutes et complètement nouvelle : ne plus pouvoir recevoir ses textos. Il ne se sentait pas coupé du monde, mais privé d'un grand plaisir. En manque de poésie aussi, et loin de sa petite-fille et de Ginette. Pour le reste, le médecin était passé le matin et lui avait prévu une longue journée ponctuée de tests, de radios et d'examens. On allait le balader de service en service jusqu'au soir. Il fallait trouver un moyen de récupérer son portable.

À ce moment-là, un homme de service noir entra pour récupérer son plateau-repas.

« Dites, monsieur, lui demanda Georges, vous seriez gentil de me passer mon paletot, là, je crois qu'il y a mon téléphone dedans.

– Ah, mais vous savez, les portables, c'est pas permis dans les hôpitaux. Ah pis ici, j'vais vous dire, y sont casse-pieds. Même le personnel, pas le droit. Mais on a dû vous transférer vos appels sur votre téléphone. Votre famille, elle peut appeler là.

– Oh, c'est pas la même chose, vous savez...

– Je sais bien, je sais bien... Bon, je veux bien regarder dans votre veste quand même, il est où ?

– Ah, merci ! Il est là, dans la poche de gauche. Il est allumé ?

– Non, il est éteint.

– Ah.

– J'en ai un aussi, vous savez. Ma femme elle dit souvent, je sais pas comment on vivait sans, avant. Moi je lui dis : mais on vivait très bien !

– Ah, oui, ça, mentit Georges.

– Moi j'ai dû en prendre un pour la recherche de travail, c'était plus pratique, à l'ANPE, ils l'ont bien dit. Oh, et puis c'est bien pratique pour appeler sa maîtresse. »

Georges se demanda s'il avait bien entendu. Le visage de l'homme s'illumina :

« Ah, je vous fais marcher ! » Et il rit d'un petit rire aigu qui ne s'arrêtait plus. « Ah, vous m'avez bien cru, hein ? Hi hi hi hi hi ! Pour appeler sa maîtresse, hi hi hi hi ! »

Effectivement, le malade en avait oublié ses machines et ses tubes pendant quelques secondes.

« Enfin, monsieur, je veux pas vous retarder avec mes histoires, finit par dire Georges avec un air contrit.

– Oh non, j'ai fini mon service, là. Mais j'aime bien discuter avec mes patients. »

Georges trouva cela un peu bizarre qu'un homme de service parlât des patients comme si c'étaient les siens. Il se sentit très gêné quand l'homme dit :

« J'étais médecin en Afrique dans le temps, enfin, c'était avant.... »

Georges se dit que ce devait être dur de se retrouver à faire le ménage après avoir été médecin.

Mais l'homme enchaîna :

« Je vais vous dire, je suis mieux ici. Surtout avec les RTT, hein ! Hi hi hi hi !

– Et vous êtes de Loches ? » Une famille africaine ne devait pas passer inaperçue dans le coin.

« Non, de Chaumussay. On a une petite maison à Chaumussay, c'est bien joli comme village. Autant vous dire qu'on est les seuls Noirs du bled, mais tout le monde est habitué maintenant, sauf les Anglais, quand ils passent à vélo, ils ont toujours peur ! Hi hi hi ! Sinon, je suis originaire du Cameroun. »

Ils discutèrent pendant un bon quart d'heure, et même si Georges ressentait une fatigue physique grandissante, il était reconnaissant à l'homme de lui tenir compagnie. Et puis, ce n'était pas tous les jours qu'il parlait avec un Noir.

Au bout d'un moment, il finit par demander quelque chose qui lui brûlait la langue.

« Dites, je vais vous paraître, comment dire, enfin, c'est un peu délicat. Je me demandais si... comment dire... quand vous partirez pour rentrer chez vous, vous pourriez peut-être prendre mon portable et lire les textos sur le parking, là où c'est permis, histoire de voir s'il n'y a pas quelque chose d'urgent, voyez-vous. Et puis vous me le direz, enfin, quand vous aurez le temps. Mais il faut pas que ça vous dérange, bien sûr.

– Ah, mais non, ça ne me dérange pas, au contraire ! Mais si vous voulez, j'y vais tout de suite, et je reviens vous voir ! Je vais prendre des notes, si jamais il y en a beaucoup. Et puis ma mémoire, vous savez ce que c'est. »

Ses grandes mains sèches et ridées allèrent pêcher ses lunettes dans la poche de sa blouse, d'où il sortit également un petit calepin orange corné à tous les coins et un crayon de bois qui avait été tellement taillé qu'il ne restait plus que quelques centimètres. Georges trouva cela drôle : il avait exactement le même dans son bleu de travail à la maison.

Georges lui expliqua le fonctionnement du portable et de la boîte de réception avec beaucoup de précision. L'homme s'appliqua à tout noter sur son calepin.

« Bon, eh bien je reviens dans cinq minutes. »

Il était à peine sorti de la pièce qu'une infirmière entra. Elle fit son travail d'infirmière, et Georges ressentit davantage la douleur qu'il avait un peu oubliée, puis elle repartit. Cinq minutes plus tard, l'homme de service était de retour, brandissant son calepin.

« Vous avez des textos ! Hi hi hi hi ! »

Il sortit à nouveau ses lunettes, son calepin, et commença à lire avec l'air solennel de l'ouaille qui récite les psaumes à la messe.

« Alors, il y en avait quatre. Le premier est de Ginette Bruneau, qui dit : "Le soleil est revenu, j'ai mangé sur la terrasse avec une amie, j'ai pensé à vous quand vous êtes venus fin septembre. J'espère qu'il fera encore doux quand tu reviendras. Je vous embrasse tous 2, prenez soin de vous." Le deuxième et le troisième sont d'Adèle, et là, je préfère vous faire lire ce que j'ai recopié, parce que c'était tout écrit en raccourci, là, et moi… enfin bon, j'ai tout recopié à la lettre. »

Il tendit son calepin à Georges.

1. Adèle

Tournaj touch à sa fin, ns travayons encor +, mem w/e. je pens 2 + en + a prendr vacans en nov si pa otr film (payé !). juske là, pa 2 tan pr moi. Coman é chato CelleG ?

(Tournage touche à sa fin. Nous travaillons encore plus, même le week-end. Je pense de plus en plus à prendre des vacances en novembre, si pas d'autre film (payé !). Jusque-là, pas de temps pour moi. Comment est le château de La Celle-Guénand ?)

2. Adèle

Pa 2 nouvL 2 toi. Tou va bn ?

(Pas de nouvelles de toi. Tout va bien ?)

« Dans le quatrième, qui était aussi de Ginette, il n'y avait pas de texte, juste une photo. Un *aimaimaisse*, comme on dit.

– Ah, une photo ? C'est nouveau ça. Une photo de quoi ?

– De la mer. »

Les deux hommes restèrent silencieux un long moment. Georges soupirait. Il ne savait pas où était Charles, il ne savait pas s'il devait alerter Adèle. Elle avait mieux à faire que de venir dans ce trou perdu voir son grand-père. Que fallait-il lui écrire ? Pouvait-il demander à cet homme de répondre pour lui ?

« Je peux leur répondre, à vos femmes, si vous voulez, répondit l'homme avant que Georges ait eu le temps de se décider. Quand je rentrerai chez moi.

– Oh, oui, si vous pouviez... Mais je ne sais pas trop quoi leur dire. »

Georges expliqua à son interlocuteur qui étaient ces dames, et lui raconta que Charles et lui étaient en train de faire le Tour de France.

« Le Tour de France ?

– Offf... oui, mais pas à vélo, hein.

– Je sais bien, pas à vélo, avec les guiboles que vous avez, hi hi hi, mais en voiture ? Trois mille cinq cents kilomètres en voiture ? C'en est, une épopée ! Vous passez par le Sud, n'est-ce pas ? Ma femme et moi on a toujours voulu y aller – à Saint-Tropez, hein ? Non, enfin Saint-Tropez ça doit pas être si bien que ça, et pis c'est pas pour nous autres, hein ? Hi hi hi hi ! Mais le Tour, il passait à Nîmes, non ?

– Étape 13, Narbonne-Nîmes.

– Et puis à Digne-les-Bains, je m'en souviens, on l'a vu à la télé... »

De fil en aiguille, les deux hommes parlèrent pendant presque une heure.

« Bon alors, vous avez décidé de ce que vous allez leur répondre à vos femmes ? »

Georges se rembrunit. Après un moment de réflexion, il écrivit avec soin sur le calepin et le rendit à l'homme de service, qui lut en silence et remit crayon, calepin et portable dans sa poche.

« Bon, je garde le portable, hein, et puis, si vous me revoyez pas, c'est que je l'ai vendu sur eBay et je suis parti à Saint-Tropez, hein ! Hi hi hi. Non, vous demandez Georges.

– Ah ben, moi aussi, c'est Georges, dit Georges.

– Ah ! À la bonne heure ! Les grands esprits se rencontrent, non les grands Georges se rencontrent, hi hi hi hi ! »

Et il partit en riant. Quelques minutes plus tard, le médecin entrait dans la chambre avec de mauvaises nouvelles. Il fallait opérer dans trois jours. Anesthésie générale.

Lundi 13 octobre

Loches (Indre-et-Loire)

La porte s'ouvrit tout doucement sur Charles. Une vague de tristesse s'empara de Georges. Il ne pouvait pas se défaire du sentiment qu'abandonner la partie, c'était condamner son ami. Il réussit tout de même à sourire

« Charles.

– On est bien venus, mais hier tu étais dans le coaltar.

– C'est qui "on" ?

– Thérèse et moi.

– Ah, Thérèse... Elle est venue jusqu'ici. C'est gentil. Bon, et toi, Charles, tu vas comment ?

– Moi ça va bien.

– Tu sais, Charles, je suis en train de te laisser tomber.

– Mais non, mais non.

– Si, si, je suis en train de te laisser tomber, et je sais pas comment faire autrement. Tu sais que je voudrais bien continuer, au moins pour toi… »

Georges avait les larmes aux yeux ; Charles n'osa pas le regarder. Il se contenta de lui tapoter le bras.

« Ils vont m'opérer, alors…, fit Georges en chuchotant presque. Tu sais, Charles, toutes ces années que toi et moi on est voisins. Bon ben. C'était bien, tu sais. »

Georges ne put continuer, mais Charles savait bien ce qu'il voulait dire.

« Oh, y a eu des hauts et des bas, bien sûr, reprit Georges.

– Oh oui. Mais dans l'ensemble…

– Oui, dans l'ensemble… » Georges hocha la tête, longtemps.

« Et qu'est-ce que tu vas faire, toi ?

– C'est pour ça en fait que Thérèse elle est venue, répondit Charles. Y a pas mal de choses qui se sont passées en deux jours. D'abord, bon. J'en ai profité pour parler aux docteurs ici. Tu sais, depuis cette histoire de Tour… Ça marche, Georges. Oh attention, c'est pas miraculeux, mais je le sens bien, ça marche. Et les docteurs, ils sont d'accord avec moi. Et Thérèse elle l'a bien vu, elle. Tu sais, elle voit tout Thérèse. Et là, elle l'a bien vu que ça marche. Enfin toujours est-il que quand j'ai appelé pour dire que tu avais eu un accident, elle a fait ni une ni deux, elle est venue. Et puis on a beaucoup discuté, et hier soir on a décidé que si toi, t'étais plus trop partant pour le Tour…

– Oh, soupira Georges, c'est pas moi qui suis pas partant, mon vieux, c'est le reste… et puis… » Il balaya l'air de la main en direction du couloir où papotaient les infirmières.

« Enfin bon, on verra, reprit Charles. Mais en tout cas… Qu'est-ce que je veux dire… On était au concessionnaire Volkswagen ce matin… On s'est acheté un camping-car. Tout le confort, et tout. On va voyager. Voilà.

– Un camping-car ? Charles ! s'écria Georges en souriant. Mais vous allez vraiment voyager dedans ? Et combien de temps que vous allez être partis ?

– Le temps qu'il faudra. On va sans doute mettre la maison en vente. Bon, et puis, si ça se trouve, y a Marcel, tu sais, Marcel d'Erquy, le mec qui faisait trempette…

– Ah, je veux bien, Marcel…

– Bon ben, Marcel et sa femme, ils vont peut-être venir avec nous, du coup. »

Georges ne savait pas quoi dire. C'était épatant comme projet. Il finit par demander :

« Mais Thérèse, elle est d'accord ? D'être loin de ses dahlias et de ses poules, ça va pas la déranger ?

– C'est elle qui a eu l'idée, Georges. »

Le silence se fit à nouveau dans la petite chambre. Ils sourirent tous les deux sans se regarder. Georges sentit à nouveau les larmes lui monter aux yeux, mais cette fois elles étaient plus douces.

« Il va falloir que j'y aille. Thérèse est partie faire les courses, mais demain matin on passera te voir. J'amènerai le dépliant du camping-car. Bon, et sinon, ils t'opèrent quand ?

– Après-demain.

– Tu as appelé Françoise ?

– J'ai demandé aux docteurs d'essayer de la joindre, avec tous ses numéros exotiques...

– Sûr, hein ? s'inquiéta Charles.

– Oui, sûr, ils vont bien finir par la trouver. E-mail, et tout ça. Bon, vas-y, Charles. Va t'occuper de Thérèse, et fais-lui la bise pour moi. T'en as de la chance, tu sais, Charles, d'avoir une bonne femme comme ça.

– Je sais bien. Je sais bien. »

Alors que Charles était sur le point de sortir, Georges l'interpella :

« Dis, si je casse ma pipe, là... j'te charge d'écrire mon épitaphe... en louchébem ! »

Charles sourit, lui fit signe d'arrêter ses bêtises et sortit.

Georges se retrouva de nouveau seul dans sa chambre. Il avait toujours mal, mais un poids dans sa poitrine s'était volatilisé. Dehors, les nuages couraient après les feuilles mortes semées par le vent d'octobre. Le téléphone sonna dans la petite chambre verte. Georges attendit quelques sonneries pour décrocher.

« Papa ? C'est moi. »

Mardi 14 octobre

Loches (Indre-et-Loire)

Dans le couloir de l'hôpital, Adèle croisa un employé noir qui lui sourit, mais toute à l'attention qu'elle portait aux numéros de chambres, elle ne le vit pas. Elle finit par trouver la 412, frappa de quelques petits coups à peine perceptibles et entra tout doucement. Elle était très nerveuse. Elle avait peur, peur de se montrer lâche face à la souffrance, de ne pas être à la hauteur face à ce vieil homme qui ne vivrait peut-être plus ce soir. Elle vit son grand-père et le trouva tout de suite tellement vieux ! Et beaucoup plus maigre que sur les dernières photos que lui avait montrées sa mère. Mais elle vit surtout qu'il la reconnaissait et que les larmes montaient dans ses yeux.

Elle aurait voulu effacer ces années d'absence, et faire quelque chose, n'importe quoi, qui fût utile et généreux. Mais l'envie de fuir pour ne pas avoir à dire ce qui se mêlait déjà dans sa gorge dominait tout. En quelques jours, elle avait commencé à apprendre à connaître son grand-père, et de vagues souvenirs d'enfance étaient remontés de sa mémoire. Rien de bien tangible, pas d'histoires qu'elle aurait pu raconter comme ça, pas de descriptions précises, juste quelques images floues, et surtout cette idée qu'elle avait été enfant, qu'elle ne l'était peut-être plus, et qu'elle avait passé des moments heureux avec ce grand-père, il y avait longtemps.

Il était heureux de la voir ; il avait l'air serein. Il prit ses mains dans les siennes, étrangement douces.

« Comment vas-tu, as-tu fait bon voyage ?

– Oui, oui, oh ce n'est pas trop long, tu sais, mentit Adèle.

– Bon, c'est bien, dit Georges sans quitter sa petite-fille des yeux. C'est tellement gentil d'être venue, tu n'aurais pas dû… Et ton travail, ça ne te posera pas de problème de manquer quelques jours ?

– Oh non, et puis, je repars ce soir. Bon, et toi, papy, comment ça va ?

– Ça va, ça va. Enfin, je crois que je n'en ai pas pour très longtemps, va. »

Adèle ne sut comment régir.

« Il ne faut pas dire cela, papy, tu vas t'en remettre, tu vas reprendre du poil de la bête, va. »

Son grand-père ne répondit rien, baissa les yeux, et regarda Adèle de nouveau. Après un moment, il fit :

« Ça me fait vraiment plaisir que tu sois venue, ma petite Adèle. Vraiment plaisir. »

Ils ne savaient déjà plus quoi dire. Adèle ne supportait pas ce silence et dit :

« Ah, tu as la télé dans ta chambre, c'est bien. C'est confortable ici ?

– Tu sais, Adèle. Comment je veux dire… il y a une chose à laquelle j'ai beaucoup pensé ces derniers temps. » Il fit une pause, tourna la tête et son regard balaya sa chambre, pour s'arrêter sur ses mains ridées, posées sur les draps.

« Te souviens-tu de cette fois où ta mamie, toi et moi, nous étions allés voir la crèche de Noël à Bressuire ? »

Adèle en effet revoyait cette crèche animée, illuminée, qui lui paraissait tellement grande et majestueuse qu'on aurait dit une ville tout entière, avec des milliers de petites lumières. C'était magique. Ce souvenir venait de très loin.

« Tu sais, j'y ai pensé bien des fois…

– C'est vrai, c'était une belle soirée.

– On était rentrés, ta mamie et moi, oh, tu ne voulais pas dormir. Ça t'avait trop excitée, cette crèche de Noël. Tu devais avoir huit ou neuf ans, oh oui, pas ben plus. Bon, eh bien, en ce temps-là, j'aime mieux te dire que la santé de mamie, ça nous tirait souci. Pis la mienne, elle était pas terrible non plus. Ta mamie et moi, c'est pas qu'on était malheureux, mais c'était une période, je dirais... difficile. Et puis tes parents, bon, ils avaient aussi des choses à faire et c'étaient les vacances, et puis, ma fille, on était toujours contents de t'avoir. Mais c'était une période où ta mamie et moi on était bien fatigués. Et tu sais, moi, j'ai été un coléreux. Oh, ça m'est bien passé, avec les années, enfin c'est la vie. À l'époque, il fallait pas me chercher des noises. Bon, en tous les cas, qu'est-ce que je veux te dire... Ce jour-là, on est revenus de voir la crèche de Noël et tu étais très excitée. Te rappelles-tu, tu ne voulais jamais te coucher, à sauter sur le lit, hardi tiens bon. Et ta grand-mère, elle a voulu te prendre alors que tu sautais sur le lit, et tu lui as tiré les cheveux. Et j'ai fait ni une ni deux. »

Il marqua une nouvelle pause.

« Je t'ai attrapée et je t'ai fichu une calotte que t'en avais la marque sur les fesses. »

Adèle sourit, elle se souvenait bien de la crèche, mais pas de la fessée. Elle dit à son grand-père en riant :

« Oh, eh bien, c'est sûrement que je la méritais, je sais que j'étais pas trop facile ! »

Elle comprit que l'histoire s'arrêtait là. Son grand-père se tenait la tête dans ses mains.

« Oh, ma petite-fille, tu sais que je m'en suis voulu. Ah, j'étais plus jeune à cette époque, et j'ai bien changé, mais je m'en suis voulu. Et plus je suis vieux, plus je m'en veux.

– Mais, papy, je ne m'en souviens pas de la fessée, je t'assure !

– Et puis après, tu n'es pas beaucoup venue, et quand tu as été adolescente, là, après, on t'a plus vue du tout, pratiquement. Et j'ai toujours regretté ce soir de la crèche. Les enfants, bon, c'était de notre époque de leur donner la fessée… »

Il continua ; Adèle le laissa parler. Lui aussi se sentait coupable de cette longue absence. Lui aussi pensait que c'était de sa faute. Comment lui dire que cela n'avait rien à voir avec ce geste malheureux, dont Adèle ne se souvenait même pas ? Cela aurait été facile, pourtant, d'expliquer leur silence de dix ans par une fessée – petit évènement qu'on pouvait dater et analyser, qui avait un coupable et une victime. Les psychiatres n'auraient rien trouvé à redire, tout était simple, l'histoire serait écrite, la fessée serait pardonnée et on pourrait se tomber dans les bras.

Mais était-ce vrai ? Non, bien sûr que non. La véritable raison était bien plus difficile à dire. Adèle finit par l'interrompre et lui prit la main.

« Papy, je ne m'en souviens pas, de cette fessée. Je t'assure que c'est vrai, j'essaie de m'en souvenir, mais non… Je me souviens des santons dans la crèche, et puis des petites lumières partout, je me souviens que je trouvais ça merveilleux. Mais la fessée, non... »

Elle s'arrêta car ses mots s'engluaient, sa voix vacillait. « Non, tu sais, je suis désolée de ne pas être venue plus tôt, c'était pas la fessée... C'est que... je n'ai pas vu le temps qui passait... »

Son grand-père ne disait plus rien.

Il aurait pu lui répondre, un peu comme Irving Ferns : « Oh, le temps, il est passé ma belle. Les vieux, ils le voient bien, ce temps qui passe, qui emporte les amis, éloigne les petits-enfants, et fait des tours avec les souvenirs. Et les jeunes, eux, ils ne savent rien du temps, invincibles, pressés et injoignables. » Mais le temps n'était pas aux reproches. Il voulait demander pardon pour ce geste. C'était fait.

C'était maintenant au tour d'Adèle. Et pour ça, elle devait lui raconter l'histoire d'Irving Ferns.

Mardi 16 septembre

Londres

On avait engagé Irving Ferns d'abord pour son physique. Agatha Christie avait décrit son personnage, Aristide Leonidès, quatre-vingt-trois ans, comme petit, laid, mais avec un charme fou qui séduisait les femmes – bref, un cauchemar même pour le plus brillant des directeurs de casting. Il s'avérait que M. Ferns avait à peu près le même âge, était plutôt petit et vraiment très laid. Quant au charme irrésistible, ses soixante ans d'expérience au théâtre et au cinéma étaient censés en venir à bout. Irving, comme tout le monde l'appelait, avait eu une carrière respectable sur les planches et sur les écrans de cinéma, mais à partir de la soixantaine, il dut se satisfaire de petits rôles à la télévision pour des cachets minables. Cela expliquait peut-être cette vive impression qu'Adèle eut quand elle l'accueillit à la sortie de son taxi : que tout chez Irving Ferns, ses yeux, ses gestes et son corps tout entier, s'excusait de ne plus être jeune. Silencieusement, désespérément, il avait l'air de combattre une vieillesse impudique. Mais c'était peine perdue – Adèle savait bien que son âge allait l'isoler, ici, parmi tous ces jeunes. Comme il marchait péniblement, elle lui avait offert son bras. Au début, ils causèrent de choses sans intérêt, et de banalité en banalité, Adèle arriva à la conclusion que cet homme vivait seul. Le col de sa chemise était trop grand, et son cou amaigri ressemblait à celui d'un poulet. En l'absence de ses grands-parents, Adèle, comme la plupart des jeunes urbains, ne connaissait pas de ces « personnes âgées » dont on parlait dans la presse. Londres avait été désertée par les vieux. Étaient-ils partis ou les avait-on chassés ? Dans les rues, les jeunes étaient rois : les carriéristes, les golden boys, les IT girls, les yuppies et les parents riches, les immigrants, les deuxièmes générations, les nouveaux arrivants – ils étaient tous jeunes. Parler avec Irving Ferns, c'était comme parler avec un personnage de fiction, tout droit sorti d'une coupure de journal. Alors qu'elle allait être prise de pitié, Irving Ferns retrouva assez de tonus pour laisser de côté les lieux communs et s'engager dans une conversation bien différente.

Entre eux, le courant passa. Irving devait savoir qu'Adèle était là pour lui être agréable, mais le vieil homme prit la chose comme une occasion de parler. De plus, l'affabilité naturelle d'Adèle finit de le convaincre et il l'invita très vite à un dialogue de cœur à cœur. La conversation, timide au départ, se fit plus vive. Petit à petit, la différence d'âge cessa d'être un obstacle pour devenir une simple distance qui, paradoxalement, incitait aux confidences. Ils discutèrent de la loge au plateau, du plateau à la loge, toute la journée.

Irving parlait beaucoup de son passé, et Adèle devait bien avouer qu'elle le trouvait fascinant. Il avait travaillé avec quelques grands noms du cinéma anglais et avait été, comme beaucoup d'acteurs de l'époque, friands de *practical jokes*, de farces. Il parla aussi de ses amours sur celluloïd, de ses succès, de ses échecs. Adèle trouvait ses anecdotes drôles et attendrissantes, et de fil en aiguille le vieil Irving lui apparut comme un jeune acteur prometteur, un dandy cultivé et un romantique inspiré. Il rajeunissait sous les yeux amusés d'Adèle.

Mercredi 17 septembre

Londres

Le deuxième jour du tournage, au déjeuner, Irving chercha Adèle du regard à la cantine, et celle-ci préféra sa compagnie à celle des filles qui jacassaient un peu plus loin. Cette fois, il entrecoupa son monologue par des questions à sa jeune interlocutrice : d'où venait sa famille, depuis combien de temps habitait-elle à Londres, etc. La France devint un sujet de conversation parmi d'autres. Le frère d'Irving, qui était mort depuis longtemps, avait fait le débarquement et survécu « Dunkirk ». Il se souvenait de ses lettres, et des souvenirs qu'il avait partagés avec lui après la guerre. Loin de faire de cette période une page d'histoire poignante et triste, Irving choisit de relater des détails comiques, et Adèle lui en fut reconnaissante. Elle en oublia même le stress de ce début de tournage. Elle se surprit à révéler quelques souvenirs d'enfance, des projets, des considérations sur la France, sur sa carrière…

Lorsque Adèle repoussa le gâteau trop sucré qui trempait dans la crème anglaise, Irving lui demanda si elle avait toujours ses grands-parents. Oui, elle avait toujours un grand-père, qui habitait à la campagne. Allait-elle souvent lui rendre visite ? Non, voilà près de dix ans qu'elle n'avait presque plus de contact avec lui. Elle y était beaucoup allée quand elle était petite, mais vous savez comment c'est, on s'éloigne et puis après...

Irving la regarda avec attention. « Vous savez comment c'est, on s'éloigne et puis après... » Oui, Irving savait. Et il connaissait cet « après » qu'Adèle n'avait pas voulu nommer. C'était l'indifférence.

Irving Ferns quitta le tournage après avoir fini sa scène. Tout au long de ces dernières heures, Adèle continua de l'accompagner du plateau et à la loge, mais c'était comme si la conversation de la veille, si chaleureuse, n'avait jamais eu lieu. Irving se montrait toujours d'une politesse exemplaire, mais sans marque d'une quelconque complicité. N'importe qui d'autre en aurait conclu que c'était une saute d'humeur – les acteurs étaient de tempérament extrêmement volatil, même Adèle, avec son peu d'expérience, le savait. Après tout, ils trimballaient tout un tas de personnages dans leur tête et devaient supporter des pressions énormes. Mais Adèle ne put s'empêcher de se poser des questions. Peut-être Irving Ferns avait-il eu raison d'être déçu, peut-être avait-il pensé qu'Adèle n'était pas du genre à laisser le temps effacer son grand-père.

Irving Ferns avait réveillé une vieille culpabilité qui sommeillait en elle, et qui devenait un petit peu plus pesante à chaque anniversaire. Chaque fois qu'elle y pensait, elle se disait… que se disait-elle ? Elle ne se disait rien, car il n'y avait rien à dire. Elle essayait juste de ne pas y penser. Maintenant elle avait presque vingt-trois ans, elle n'était plus une adolescente capricieuse et égoïste. Pourquoi n'avait-elle pas contacté son grand-père pendant des années ? Avait-elle des mauvais souvenirs des vacances passées en sa compagnie ? Non, Adèle avait eu une enfance qu'elle pensait banale, à tort : elle avait été heureuse. Pas de regrets, pas d'amertume, pas de secrets à révéler. Son grand-père était-il un mangeur de petites filles, un bourreau de petits garçons ? Non. Avait-il des opinions politiques virulentes, des amitiés choquantes, un passé inavouable ? Non, pas qu'elle sache. Et pourtant, elle s'était tellement éloignée que les rares fois où elle parlait de lui, elle le faisait au passé. Il n'était pas mort. Pas encore. Il avait eu des problèmes de santé, sa femme était décédée et il en avait souffert. Il était seul depuis bien des années, et pourtant... Pourtant, Adèle n'avait pas fait d'effort.

Cette nuit-là, Adèle ressassa sa conversation avec l'acteur et repensa à son tour à sa phrase inachevée. Au plus profond de la nuit, elle ressentit la solitude de son grand-père comme elle avait ressenti celle d'Irving Ferns. Et si elle avait éprouvé de la compassion pour le vieil acteur, qu'elle n'avait côtoyé que pendant deux jours, elle n'en avait pas eu pour son grand-père, qui l'avait accueillie à toutes les vacances de son enfance. Soudain, elle eut honte, et s'endormit en se promettant d'appeler son grand-père dès le lendemain.

Mardi 14 octobre

Loches (Indre-et-Loire)

C'était là toute son histoire avec Irving Ferns. Sans phrases profondes, sans révélations fracassantes, sans sagesse ni emphase, le vieil homme avait fait faire à Adèle ce pas décisif qui avait tout changé ces dernières semaines. Maintenant, il fallait le dire à son grand-père.

Adèle rassembla son courage et commença d'une voix incertaine.

« Tu sais, papy, je t'ai dit que je travaillais sur un film, l'histoire du meurtre d'un vieux milliardaire, là. Le premier jour, on a filmé… la scène où on retrouve le mort.

– Oh, ma pauvre fille, et tu as vu ton vieux papy mort à la place ? Ah ! Assassiné ! V'là ben le reste…, dit Georges en plaisantant.

– Non, oh tu sais, c'est pas très vraisemblable, y a des projecteurs partout et tout, les perruques qui pendouillent, toute l'équipe autour, y a pas de risque qu'on s'y méprenne. En plus, moi je voyais pas grand-chose de la scène, alors… Non, mais le monsieur qui jouait le rôle, il avait ton âge. Et, en fait… je me suis bien entendue avec lui. »

Elle fit une pause pour redresser sa voix, qui perdait l'équilibre.

« Et comme je me suis bien entendue avec lui, je me suis dit qu'il n'y avait pas de raison que je ne m'entende pas avec toi. Je crois que quand on est jeune, l'adolescence, tout ça, on oublie qu'on peut bien s'entendre avec les grands-pères, tu vois. »

Elle s'arrêta. Son grand-père la regardait avec tendresse.

« T'as bien raison, ma belle. Et les vieux, c'est pareil. Quand on est vieux, on oublie qu'on peut bien s'entendre avec les jeunes. Ah, saloperie ! »

Il renifla, puis prit la main de sa petite-fille.

« Tu sais, Adèle. On dit souvent : "Oh, la vie est trop courte, la vie est trop courte." Eh bien moi, pendant longtemps, pendant longtemps hein, j'ai pensé qu'elle avait été trop longue. Mais maintenant… je me dis qu'elle a été juste bien. »

Georges le Noir passa beaucoup de temps dans la chambre de Georges le Blanc. Il vint le voir après qu'Adèle fut partie et trouva son patient bien secoué.

Ce soir-là, ils parlèrent très longtemps – autant que les allées et venues des infirmières et des médecins le leur permirent – et bien après l'heure de fin des visites. Au début, ce fut surtout Georges le Blanc qui parla, tandis que Georges le Noir ponctuait la conversation de ces lieux communs qui bercent les belles amitiés, « de tous les maux, les plus douloureux sont ceux qu'on s'est infligés à soi-même » ; « c'est comme dans les réunions de famille, il vaut mieux partir alors qu'on s'amuse, on en garde les plus beaux souvenirs ».

Quelquefois pourtant, Georges le Noir parlait davantage et Georges écoutait avec attention. Une fois que Georges le Noir avait parlé, les choses devenaient plus simples. On évoqua ce qu'avait révélé Françoise lors de leur conversation au téléphone, qui avait vivement ému Georges. Le petit carnet orange aux bords cornés fut sorti, griffonné, rangé, ressorti, consulté, noirci, montré, rangé, ressorti et rangé à nouveau. Par trois ou quatre fois, surtout quand il se fit tard, ils s'arrêtèrent de parler pour laisser la place aux bruits de l'hôpital. Et puis la conversation reprenait, mais leurs voix étaient à chaque fois un peu plus douces, si bien que quand ils se quittèrent, ils chuchotaient presque. Georges repensa à cette belle conversation et à ce qu'il avait dit, et écrit, à Charles, à Adèle, à Françoise, à Ginette. Était-ce assez ? Était-ce jamais assez ?

Et puis ce fut déjà le matin. Le matin de l'opération.

Mercredi 15 octobre

Loches (Indre-et-Loire)

Georges fut amené dans la salle d'opération. Que ressentait-il ? De l'appréhension, de la peur ? Non, il se sentait simplement, intensément, lui-même. Il était comme une île, une grande île qui rassemblait tout ce qu'il avait été et tout ce qu'il avait rêvé d'être, sa tête pleine de souvenirs, ses sentiments qu'il avait eu tant de mal à maîtriser, son corps qui lui avait donné plaisir, douleur, force, désespoir. Tout ce qui faisait Georges Nicoleau était dans cette île, dans ce lit à roulettes.

Sur la table d'opération, il perdit momentanément cette impression et l'île sembla s'émietter, se disperser. Mais l'autre Georges, Georges l'Africain, Georges le Noir, dans un coin de la salle, le regardait avec un sourire amical, et il se rassembla à nouveau. L'anesthésie fut administrée, il fut comme bercé par des vagues immobiles. Georges le Noir souriait toujours ; Georges le Blanc aussi, mais personne ne le savait.

Samedi 18 octobre

Poitiers (Vienne)

La nouvelle ne fut une surprise pour personne, sauf pour le corps médical. Les docteurs avaient parlé pourcentages, médicaments, injections, interventions, listé tout ce qu'ils avaient pu faire et ne pas pu faire. Georges ne s'était pas réveillé.

Adèle n'avait pu revenir que ce matin-là, par avion. L'enterrement était prévu pour le lendemain. Sa mère, tout juste rentrée du Pérou, devait l'attendre à l'aéroport de Poitiers. Elle n'avait pas pu revenir à temps pour voir son père, Adèle en avait le cœur brisé pour elle.

Adèle descendit de l'avion et marcha sur le tarmac, les yeux baissés, n'osant pas regarder vers le petit aéroport. Elle n'avait pas vu sa mère depuis presque deux mois. Elle redoutait de tout lui raconter, elle redoutait la douleur, la sienne et celle des autres, et ce sentiment d'impuissance face à quelque chose de tellement plus fort qu'elle.

Adèle aperçut enfin sa mère. Elle qui, d'habitude, tenait sa mince silhouette résolument droite, dans ses tailleurs élégants, était en jean et col roulé sombre, assise sur un banc dans ce terminal désert. Elles s'embrassèrent et restèrent longtemps dans les bras l'une de l'autre, s'efforçant de ne pas pleurer – en vain. Enfin, sa mère regarda Adèle en souriant et lui dit :

« Tu as maigri, je trouve.

– C'est la bouffe du tournage, répondit Adèle en s'essuyant les yeux du revers de la manche. Ils servent n'importe quoi, c'est plein de graisse et de sucre, alors du coup, je mange pas. Tu es arrivée quand ?

– Hier soir.

– C'était comment ton trek ?

– Je n'ai pas fait de trek, répondit Françoise avec une étrange sérénité dans la voix.

– Ah bon ? Ça a été annulé ?

– Non. Il n'y a jamais eu de trek. Oh j'étais bien au Pérou, mais à Lima. J'avais téléphone, e-mail, mon portable passait, j'avais tout.

– Ah bon. Papy, il pensait que…

– Oui, je sais. Je l'ai eu au téléphone lundi. Je lui ai tout dit. Il a compris. »

Adèle sentit une pointe de colère monter en elle. Elle n'avait jamais aimé les mensonges, et ne savait pas quoi penser de celui-là. Elles étaient seules, à présent, dans le terminal qui paraissait soudainement très grand, au milieu d'un aéroport désert. Il n'y aurait plus d'avion jusqu'au soir.

Alors qu'Adèle tirait les fils de sa manche de pull-over sans oser regarder sa mère, Françoise prit enfin la parole.

« Tu sais, Adèle, ça faisait longtemps que ton grand-père était malade. Ça faisait quinze ans, oui, au moins. Et ça faisait cinq ans, depuis la mort de mamie, que je m'occupais de lui. J'étais tout ce qu'il avait, je ne pouvais pas le laisser tomber, et j'étais seule à le faire. Tu sais bien qu'il n'a jamais voulu d'aide médicale ou quoi que ce soit. Ça faisait cinq ans que je parlais aux médecins, que j'organisais ses affaires "au cas où", que j'étais toujours derrière lui, en somme. Combien de fois l'ai-je embrassé pour ce que je pensais être la dernière fois, en cinq ans ? Combien de fois suis-je accourue parce que je pensais que c'était la fin ? Et en cinq ans, il s'est passé des choses dans ma vie, avec ton père, tu sais, même après le divorce, ça a été dur, et puis quand j'ai rencontré Patrick, au même moment, il y a eu les ulcères de papy, c'était grave, tu ne t'en rappelles peut-être pas. Donc j'ai passé plus de temps à m'occuper de lui qu'à me soucier de moi, ou de... Enfin. »

Elle hésita avant de reprendre. « Et puis un jour, l'année dernière, il a fallu que je fasse un choix, parce que ça n'allait pas du tout. » Sa voix s'étrangla à peine, mais Adèle découvrit là une fragilité qu'elle n'avait jamais soupçonnée. Elle fit un geste timide pour prendre la main de sa mère, mais Françoise la retira doucement.

« Je vais te passer les détails, ma chérie, surtout que maintenant ça va beaucoup mieux, je t'assure. Mais il a fallu que je prenne sérieusement soin de moi. Et en en parlant, tu sais, en parlant, avec des amis qui sont passés par la même chose, puis avec un psy... j'ai réalisé beaucoup de choses. »

Elle s'arrêta, respira profondément. Adèle regardait le visage de sa mère, ses yeux plus marqués que d'habitude ; elle avait l'air plus âgée.

« Il fallait que je laisse ton papy vivre sa vie. Même si ça voulait dire le laisser partir – je veux dire partir *vraiment* –, parce que c'était ce qu'il voulait. Et en même temps, il fallait que je vive ma vie à moi aussi. On était tous les deux malheureux. Moi je m'agrippais à lui, je voulais le mettre dans le formol, comme il disait. Et c'est vrai, sans doute. On avait tous les deux besoin d'air. Je parlais beaucoup de tout ça avec Thérèse, qui, elle, me parlait des problèmes de Charles. Un jour, elle m'a parlé de leur projet de Tour de France, et puis de ses espérances pour Charles. Je savais que ton grand-père n'attendait que ça, parce que c'était un moyen pour s'échapper, même s'il savait qu'il prenait des risques énormes, vu sa santé. Mais si j'avais été dans les parages, il ne serait jamais parti. Alors je me suis dit que c'était l'occasion. Je suis partie à Lima chez un ami. Pour prendre soin de moi. Ça a été très dur, de prendre cette décision. Thérèse devait me tenir au courant. Elle m'a appelée quand il est entré à l'hôpital. Mais… je ne suis pas partie tout de suite. Des hôpitaux, j'en ai vu, avec papy, tu sais. Et puis… dans ma tête, peut-être que je lui avais déjà dit au revoir. »

Françoise mit sa tête dans ses mains. Ses épaules bougeaient imperceptiblement. Adèle la prit dans ses bras. Elle n'était plus en colère. Une éclaircie dessina des ombres géantes sur le carrelage du terminal. Tout était calme.

Quand la pluie reprit, une heure plus tard, le terminal résonnait du rire aigu des deux femmes. Car ce Tour, qui avait transformé leur petite famille à jamais, regorgeait d'anecdotes savoureuses qu'Adèle exagérait à plaisir pour faire rire sa mère. C'est en racontant tous les épisodes, un à un, avec son téléphone portable comme aide-mémoire, qu'elle prouvait à sa mère qu'elle avait pris la bonne décision.

Elles quittèrent enfin l'aéroport pour rejoindre dans une voiture de location le Grand Hôtel de Poitiers, où Françoise, qui repoussait le moment où elle devrait affronter la maison vide de son père, avait réservé deux chambres.

C'est là qu'elle devrait trouver le courage d'ouvrir un paquet enveloppé de papier kraft qu'un homme du nom de Georges N'Dour lui avait fait parvenir, ainsi que deux lettres.

Françoise respira bien fort. Puis elle déchira le papier. Elle découvrit une vieille boîte en bois, ornée d'un dessin passé représentant les Pieds Nickelés. Elle se souvenait très vaguement qu'elle lui avait appartenu quand elle était enfant. Sa gorge se serra, son cœur se mit à battre plus fort. Elle mit encore quelques secondes pour trouver le courage de l'ouvrir, puis elle l'ouvrit d'un coup. Elle était vide.

Elle ne put s'empêcher de chercher un compartiment caché, mais il n'y avait rien. Peu à peu, son souvenir s'affina. Cette boîte ne lui appartenait pas à elle, elle était à sa cousine. Comment son père avait-il pu la récupérer ? Les lettres l'éclaireraient peut-être.

Sur une des enveloppes était écrit avec soin, au stylo-plume, « Françoise » et « À lire en premier » gribouillé au crayon de papier. Elle déplia un joli papier de correspondance blanc.

Chanteloup, le 16 septembre

Ma chère Françoise

Je pars avec Charles faire le Tour de France car je ne veux pas mourir assis dans mon fauteuil. J'espère de tout cœur que tu m'excuseras de te laisser. Je n'ai pas eu le courage de t'en parler. Un mot de toi et je serais resté, car tu me manques.

Quand tu étais petite, tu disais souvent que cette boîte était la plus belle chose que tu aies jamais vue, mais à l'époque ta mère et moi n'avions pu te l'acheter. Je l'ai trouvée sur internet (eBay) et j'ai pensé qu'elle te ferait plaisir.

Tu as été une fille admirable. Prends bien soin de toi.

Papa

Françoise resta longtemps assise sur son lit, la lettre à la main, le cœur douloureux. Elle la relut, sourit au mot « eBay », mais son sourire fut vite baigné de larmes salées. L'autre lettre était griffonnée au crayon de papier sur plusieurs petites feuilles quadrillées, visiblement arrachées d'un carnet.

14/10/2008

Ma chère Françoise,

Depuis que j'ai écrit la lettre ci-jointe, bien des choses se sont passées dans ma vie, auxquelles je ne m'attendais pas. J'ai découvert une bien belle région : la Bretagne ! Adèle m'a dit qu'elle irait bientôt en vacances là-bas, j'espère que tu l'y accompagneras. J'ai revu Ginette (la sœur de Charles, elle se souvient de toi) qui est une femme admirable et qui a toute mon affection. Tu devrais lui rendre visite un jour, cela lui ferait très plaisir. Elle habite au 14 passage des Pêcheurs, 85690 Notre-Dame-de-Monts, et a une très jolie maison. Georges N'Dour, qui te donnera cette lettre, est un des nombreux amis que je me suis faits lors de ce petit tour. Tu prendras aussi bien soin de Charles et Thérèse, qui vont à présent vendre leur maison et voyager. Je me suis rendu compte lors de ce Tour que j'ai été assez idiot pour sous-estimer Charles, notre bon voisin, pendant trente ans. C'est un monsieur très courageux et généreux, et qui connaît plus de choses qu'il n'y paraît. Thérèse également. Je leur laisse la Scénic (tu le diras au notaire). Promets-moi de prendre de leurs nouvelles souvent et de leur donner un coup de pouce s'ils sont dans le besoin financièrement. Et enfin, j'ai eu la chance de communiquer longuement avec Adèle. Adèle est une jeune femme remarquable. Elle a fait de moi un grand-père très fier. Elle te racontera nos aventures en détail car nous avons beaucoup correspondu et elle est au courant de tout. Je lui ai fait promettre de raconter notre périple à ses petits-enfants ! J'espère que tu prendras soin de toi. Je me suis rendu compte que tu m'as beaucoup donné ces dernières années. Je ne t'en remercierai jamais assez. Toutes mes affaires sont réglées (grâce à toi !), donc ne t'en fais pas. Quant à moi, je pars satisfait. Car c'est comme dans les fêtes de famille, il vaut mieux partir alors qu'on s'amuse, on en garde les plus beaux souvenirs.

Ton père qui t'aime

Le silence se fit dans la chambre de Françoise. Il se fit aussi dans l'hôtel, dans la rue, dans la nuit. Il n'y avait plus rien à dire.

Dimanche 19 octobre

Chanteloup (Deux-Sèvres)

Les funérailles furent organisées rapidement. Cela faisait bien longtemps que Françoise et son père avaient réglé tous les détails. Plus tard, Adèle garderait quelques images de l'enterrement : le marbre du même gris que le ciel, les fleurs en plastique, les petites chaises en osier de l'église, ses talons dans les graviers du cimetière, les visages d'étrangers autour de la tombe. Presque comme n'importe quel enterrement. Elle ne s'y était pas sentie à l'aise.

C'est du matin qu'elle se souviendrait le mieux. Elle rejoignit sa mère dans la maison de son grand-père pour s'habiller pour l'enterrement. Dans la maison d'à côté, Charles et Thérèse se préparaient eux aussi. Adèle avait à peine eu le temps de faire le tour de ces lieux dans lesquels elle n'était pas venue depuis dix ans. Elle avait été plus attentive à sa mère, qui retenait ses larmes. Même dans ces moments-là, Françoise restait élégante, coquette et raffinée.

Adèle descendit leur préparer un café dans la cuisine. La maison semblait toujours occupée. La maison de ses grands-parents. Dont elle pensait ne pas se souvenir. Combien elle se trompait.

Tout revenait en vrac, d'un coup, tout la submergeait. Elle s'étonna d'abord de se rappeler où l'on rangeait les tasses à café, mais aussi les cuillères, les torchons, le café en poudre. Et le petit pot de porcelaine où sa grand-mère cachait les guimauves. La soupière sculptée du buffet où son grand-père gardait ses factures. Le tiroir aux petits crayons. Elle se surprit à reconnaître le jardin, vu de la fenêtre au-dessus de l'évier – il était beaucoup plus petit que dans son souvenir, certes, mais elle en reconnaissait bien les arbres, les cailloux, le gros lilas, l'étang au loin, les fils en plastique bleu qui fermaient la petite barrière. À mesure que son regard balayait la pièce, des souvenirs enfouis, heureux, joyeux, surgissaient de toutes parts. Tous les petits objets de la maison devenaient précieux, elle aurait voulu les garder, comme des fleurs rares dans un herbier ou des papillons qu'on épingle. Pourrait-elle épingler l'odeur du placard où l'on gardait les jeux de société ? Le goût des caramels qu'elle retrouvait en voyant cette boîte en plastique bleu pâle ? Et l'écriture appliquée de son grand-père, sur les chèques qu'on lui donnait pour son anniversaire ? Cela aurait sûrement fait sourire son grand-père de la voir déballer tous ces souvenirs. Elle se surprit même à avoir le réflexe de lui envoyer un texto. Avant qu'elle puisse regretter de ne plus pouvoir le faire, son regard tomba sur un détail, et les images de son enfance revinrent comme une grosse vague. La photo de sa maman toute petite, dans un joli cadre sculpté, c'était le souvenir d'autre chose, de balades dans la brouette qui débordait de foin. Une reproduction des *Tournesols* de Van Gogh dans l'escalier, c'était soudain le goût de la fleur d'oranger que sa grand-mère lui donnait dans un petit verre d'eau avant de se coucher. Les tranches multicolores des vieux livres de poche, c'était aussi les parties de nain jaune où on la laissait gagner. Les verres Duralex, c'était les bouquets de primevères qu'on rapportait à mamie du pré du voisin. Et il en venait encore et encore, le flot ne se tarissait pas : des mots, des images, des odeurs, des cauchemars et des fous rires, tous les Noëls et tous les printemps, tous les œufs de Pâques et les jeux d'enfants, les genoux égratignés et le sourire de ses grands-parents, et soudain elle se mit à pleurer à chaudes larmes, comme la petite fille dont cette maison se souvenait enfin.

C'est dans la petite cuisine qu'Adèle rendit le plus bel hommage à son grand-père, et non dans le cimetière ou sur la plaque de marbre qu'on installerait tout à l'heure. C'est dans sa maison qu'Adèle lui rendait un honneur qu'il aurait apprécié plus que toutes les médailles : une place au soleil dans le panthéon de son enfance heureuse.

Mardi 21 octobre

Londres

Finalement, au bout de la huitième prise, la scène fut bouclée, marquant ainsi la fin du tournage. « Coupez, c'est la bonne ! *Ladies and gentleman, it's a wrap !* » Toute l'équipe applaudit ; on s'embrassa, on se félicita, on versa même des petites larmes, probablement autant de fatigue que de joie. Le producteur exécutif, David Lerner, un grand blond dégingandé qui devait approcher de la cinquantaine mais arborait toujours le même look d'ex-étudiant de Cambridge, arriva comme par enchantement et demanda à toute l'équipe de le rejoindre au sous-sol quand on aurait fini de tout ranger. Adèle, comme d'habitude, fut la dernière à quitter le plateau, vérifia que tout était en ordre, que rien ne traînait, que tout était à sa place dans la vieille maison. Elle passa d'étage en étage, courut à travers les couloirs aux planchers qui grinçaient, poussa toutes les portes. Elle se sentait comme chez elle, après un mois passé dans ces murs qui sentaient le vieux. Elle avait le cœur guilleret, la jeune Adèle, et dans sa tête résonnait comme le refrain d'une bonne nouvelle : non seulement le tournage était fini, une page était tournée et elle avait des plans nouveaux et optimistes pour le futur, mais elle avait reçu ce texto irréel de son grand-père, et elle se sentait légère et inspirée.

Quand elle arriva dans la salle du rez-de-chaussée, la fête avait déjà commencé. Il y avait un brouhaha joyeux ; les cantiniers servaient le champagne et des canapés bon marché, des rires fusaient d'un peu partout. Adèle se faufila et réussit à trouver une flûte. Elle ne remarqua pas que le producteur, la directrice de production et ses assistantes se faisaient des cachotteries et préparaient quelque chose dans un coin de la pièce. Soudain, on entendit la voix du producteur qui demandait le silence.

« *Excuse me everybody*… Excusez-moi tous, voilà, merci… J'aimerais juste dire un mot, s'il vous plaît, merci. J'aimerais juste dire à toute l'équipe un grand merci pour le travail que vous avez tous fourni. J'ai vu les rushes, le résultat est tout simplement superbe, nous avons même fait un *viewing* avec la directrice de la chaîne qui est absolument enthousiaste. Pour ma part, je suis très fier d'avoir participé à ce film, qui j'en suis sûr sera un grand succès.

Donc merci à tous pour votre superbe travail. *Cheers !* »

Tout le monde répondit en cœur « *Cheers !* » et applaudit. Il éleva de nouveau la voix au-dessus des applaudissements.

« Une dernière chose, une dernière chose, et ensuite on boit… Voilà, nous avons également un anniversaire à célébrer aujourd'hui ! » Les assistantes sortirent un petit gâteau d'anniversaire orné d'une bougie. « Adèle, où elle est, Adèle… Ah voilà, Adèle, que vous connaissez tous… *Happy Birthday to you, happy birthday to you…* »

Il fallut plusieurs secondes à Adèle pour réaliser que c'était bien d'elle qu'on parlait. Écarlate, elle se contenta de sourire et souffla sa bougie. Le producteur, une fois encore, interrompit les applaudissements :

« Alors, avant qu'Adèle fasse son speech – eh oui, Adèle, tu ne vas pas y couper –, je voudrais dire un petit mot non seulement pour notre *birthday girl* ici, mais aussi pour tous nos stagiaires et nos assistants, qui ont bossé peut-être encore plus dur que tout le monde. Sur ce tournage, je pense que vous vous êtes tous aperçus que nous avions des assistants particulièrement qualifiés… (plusieurs membres éminents du tournage hochèrent la tête) et je voulais leur dire qu'ils ont fait un travail remarquable, et je dis *remarquable* particulièrement car je sais – je sais parce que je suis passé par là moi-même – je sais qu'ils pensent qu'on ne les remarque pas. Donc voilà, soyez sûrs que vous avez été remarqués, et croyez-moi, même si les tâches vous paraissent ingrates parfois, elles sont essentielles, je dirais même vitales, au bon déroulement du tournage. Voilà, donc je souhaite à Adèle et à tous nos stagiaires et assistants une grande carrière dans la télévision et le cinéma. *Cheers !* Et maintenant, je laisse la parole à notre *birthday girl.* » Adèle fit mine de ne pas vouloir parler, mais le producteur insista, sans doute plus par espièglerie que par intérêt.

Adèle était toujours toute rouge. Elle détestait parler en public, mais se lança.

« Merci, merci beaucoup, merci, David. Euh, si certains de vous ne me connaissent pas, bon, le grand bruit au milieu de la prise 5, c'est moi. J'ai laissé tomber mon téléphone, mais, euh, pas par maladresse. Il m'est arrivé quelque chose de complètement incroyable et j'étais tellement choquée que j'en ai laissé tomber mon portable. Voyez-vous, j'ai reçu un texto de mon grand-père pour mon anniversaire, aujourd'hui donc. Le truc, c'est que c'est le même grand-père dont je suis allée à l'enterrement le week-end dernier. »

L'assistance se fit soudain plus attentive. Il y eut des rires brefs, comme étranglés. Adèle se sentit un peu gênée par le silence.

« Voilà, ça a l'air morbide comme ça, mais en fait, non, c'est plutôt joyeux. Enfin, moi ça m'a fait plaisir. Mais bon, comme je vous l'ai dit, ça m'a un peu secouée. »

Alex, qui se trouvait près d'elle, posa la question que tout le monde attendait : « Comment il a fait ? » Quelqu'un suggéra qu'on pouvait peut-être programmer les textos pour partir un certain jour dans le futur. Un autre se demanda si c'était un retard de l'opérateur. Quelqu'un d'autre l'avait peut-être écrit à sa place, ou sa ligne aurait pu être piratée ?

Finalement, Adèle répondit doucement :

« En fait, je préfère ne pas savoir. Je pense que mon grand-père aurait aimé que je ne cherche pas à savoir. »

Puis naturellement, la fête continua, les petits groupes se reformèrent, et cette histoire de texto fut le point de départ de bien des conversations animées. Adèle raconta le Tour de France de son papy à tout un tas de gens de l'équipe, même ceux dont elle s'était méfiée pendant un mois. Elle alla jusqu'à évoquer la tendresse qui renaissait, les erreurs du passé, l'indifférence dont elle ne s'était pas aperçue, et elle fit beaucoup rire en racontant les trésors d'inventivité que ces octogénaires avaient déployés. Les personnes âgées n'étaient décidément pas telles qu'on les voyait ! L'acteur qui avait remplacé Irving Ferns au pied levé était bien de cet avis. On put entendre ici des souvenirs de maisons de famille, là des rapports de santé, là des anecdotes d'avant guerre. Jamais au cours d'une fête de fin de tournage on ne parla aussi peu de cinéma et autant de grands-parents.

La semaine qui suivit, dans des villages d'Angleterre et même de Pologne, d'Écosse ou d'Italie, des téléphones qui ne sonnaient plus depuis longtemps résonnèrent de voix lointaines, gaies et timides. Mais Adèle ne le sut pas.

L'année d'après, le 21 octobre, Adèle reçut à nouveau un message d'anniversaire de la part de son grand-père. Et l'anniversaire d'après, et celui d'après encore. Elle ne chercha jamais à savoir d'où ils provenaient.

Mais tous les 25 septembre, elle lui envoya le même texto :

En souvenir du Tour, avc toute ma tendrS, ton adL ki pense à toi.

*Le prix Nouveau Talent de la Fondation Bouygues Telecom–*Metro *révèle au grand public un nouveau talent littéraire en lui permettant de publier son premier roman. Écrit en langue française, ce récit doit intégrer le langage SMS et des messageries instantanées.*

La vocation de ce prix littéraire est de créer un lien entre deux langages, deux univers qui s'enrichissent mutuellement. Comme le rap, l'argot, le patois ou le verlan, le langage SMS et des messageries instantanées est à l'origine une langue de communauté et de connivence, qui offre à des groupes le délice de langages interdits à d'autres.

Cette initiative de mécénat est née de l'observation des pratiques actuelles de communication qui font naître de nouveaux codes de langage, et du souhait de les faire partager. Elle reflète aussi, et surtout, la volonté d'innovation et d'action de deux acteurs majeurs de la communication et de l'information. La mission de Bouygues Telecom est de permettre la connexion des individus entre eux, celle du quotidien Metro *de rendre l'actualité accessible au plus grand nombre.*

*Le lauréat du prix Nouveau Talent de la Fondation Bouygues Telecom–*Metro *est désigné par un jury composé d'éditeurs, de journalistes du quotidien* Metro, *de membres de Bouygues Telecom ainsi que de la lauréate 2008.*

Les auteurs peuvent faire acte de candidature
pour l'édition 2010
en adressant leur manuscrit par e-mail à
fondation@bouyguestelecom.fr

Règlement consultable sur
www.fondation.bouyguestelecom.fr